CW00864652

TÂN GWYLLT

PAT NEILL

ADDASIAD

DIC JONES

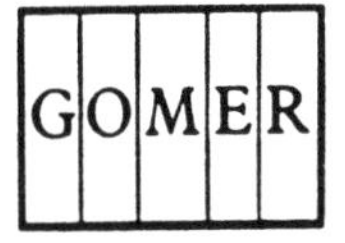

Argraffiad cyntaf—1992

ISBN 0 86383 810 3

Dymuna'r cyhoeddwyr gydnabod cymorth
Adrannau'r Cyngor Llyfrau Cymraeg.

Argraffwyd gan
J. D. Lewis a'i Feibion Cyf., Gwasg Gomer, Llandysul

1.

Mae'n cymryd tipyn o amser i chi ddod atoch eich hun ar ôl cysgu am dros fil o flynyddoedd. Hyd yn oed wedi cysgu am ryw gan mlynedd rydych chi'n teimlo braidd yn niwlog a heb fod yn siŵr iawn ble'r ydych chi na phwy ydych chi. Ond i Delyth y ddraig roedd pethau'n waeth fyth. Doedd hi ddim hyd yn oed yn *cofio* beth oedd hi.

A fedrwch chi mo'i beio hi, a dweud y gwir. Pan aeth hi i gysgu, draig fach tua maint madfall oedd hi, newydd ddeor o'r wy a doedd ei mam ddim yn fodlon iddi roi cymaint ag un blaen troed y tu allan i'r ogof lle'r oedden nhw'n byw. Er mwyn cadw Delyth rhag crwydro o gwmpas a chael niwed, dododd Mam hi ar silff lydan, tua thair metr o'r llawr, a dweud wrthi am fyhafio tra oedd hi allan yn chwilio am swper. Ac yn fuan iawn wedyn rhoddodd Myrddin y swyn ar bob draig yng Nghymru. Fe syrthiodd pob un ohonynt i gysgu'n drwm ar unwaith, ac roedd yn hawdd gwneud bagiau llaw croen-draig ohonyn nhw a hyd yn oed byrgers-draig heb i neb gael yr un llosgiad. Ond roedd Delyth mor fychan fel na sylwodd neb arni, a dyna lle'r oedd hi wedi bod yn cysgu byth oddi ar hynny.

Ond tra ydych yn cysgu, hyd yn oed o dan swyn, rydych chi'n dal i dyfu. Dyw draig ddim yn tyfu'n gyflym iawn—tua centimetr y flwyddyn. Ac os ydych chi'n dda mewn mathemateg fe fyddwch wedi symio fod hynny'n un metr mewn can mlynedd. Ac os yw eich hanes yn dda hefyd, fe sylweddolwch fod Delyth rywbeth bach dros bymtheg metr o hyd—tua hyd pedwar car, un wrth gwt y llall. Roedd yr ogof yn dal yn ddigon mawr iddi, ond roedd y silff o dipyn i beth wedi mynd braidd yn gul. Aeth yn gulach a chulach—neu aeth Delyth yn fwy ac yn fwy—nes o'r diwedd iddi lithro dros yr ymyl a syrthio'n glwriwns i'r llawr.

Erbyn hyn roedd swyn Myrddin yn dechrau gwanhau, a bu twrw deg tunnell o ddraig yn cwympo i'r llawr yn ddigon i'w chwalu'n llwyr. Dihunodd Delyth ac agor ei llygaid.

Pan adawodd ei mam hi, roedd wedi gwthio anferth o garreg i gau ceg yr ogof, a honno'n tywyllu'r lle i gyd. Nenfwd o gerrig oer, creigiau oer o furiau a llawr oer, llaith, oedd yr unig bethau i'w gweld, ac roedd Delyth bron â phenderfynu mynd yn ôl i gysgu eto pan sylweddolodd ei bod bron, bron â llwgu.

'Mama,' criodd gan ddisgwyl yn obeithiol, a cheisio cofio ar yr un pryd sut un oedd ei mam. Wedi'r cyfan, dim ond creadures anfoesgar fyddai'n methu nabod ei mam ei hun. Beth bynnag, wedi disgwyl am tuag wythnos a dim yn digwydd, dechreuodd feddwl efallai na fyddai ei mam yn dod o gwbl, ac os oedd hi am gael gwared o'r hen deimlad gwag hwnnw yn ei bol, byddai'n rhaid iddi hi ei hunan wneud rhywbeth ynglŷn â'r peth.

Braidd yn anystwyth, dechreuodd gerdded i geg yr ogof a cheisio gwthio'r garreg enfawr o'r naill ochr â'i thrwyn. Ar y trydydd cynnig symudodd y garreg gan ollwng llif o olau i mewn a dallu Delyth am eiliad. Pan ailagorodd ei llygaid, gwelodd draeth bach caregog, rhyw wyth metr yn is na cheg yr ogof. Llithrodd i lawr ato ar ei bol a dechrau chwilio am rywbeth i'w fwyta. Daeth o hyd i dwr o gregyn glas ac fe lyncodd ddau neu dri chant mewn chwinciad, y cregyn a chwbl, a thua chanpwys o wymon ar ben hynny. Doedden nhw ddim yn rhyw flasus iawn, ond roedd arni gymaint o eisiau bwyd fel y gallai fod wedi llyncu ceffyl, a'r cyfrwy hefyd. Beth bynnag, roedd y cregyn glas wedi helpu rhywfaint ac roedd hi'n cael hoe fach pan glywodd sŵn cerrig a graean yn llithro a rhyw lais bach, crynedig yn gweiddi 'Help! Help!'

Edrychodd i fyny. Ychydig i'r dde o'r ogof a thua phedair neu bum metr o'r llawr roedd yna fonyn draenen digon bregus yr olwg, ac wrth hwnnw, yn dal am ei fywyd, roedd yna ryw Beth bach digon swnllyd. 'Help!' gwaeddodd y

Peth wedyn, 'Help! Fedra i ddim dal llawer yn rhagor. Dwi'n mynd i gwympo.'

'Wel,' meddyliodd Delyth, 'Rwy'n siŵr nad Mam yw e, ond o leia mae e'n medru siarad.' Felly dyma hi'n trotian dros y graean, codi i fyny ar ei choesau ôl, a rhoi ei phen bron o dan draed y Peth, er bod rheiny'n cicio gymaint fyth.

'Petaech chi'n stopio cicio am eiliad a rhoi eich coesau am fy ngwddw a chydio yn fy nghlustiau mi fyddech chi'n iawn,' meddai Delyth.

Stopiodd y cicio a theimlodd bwysau ysgafn ar ei gwddw. Yn ofalus iawn plygodd ei phen i'r llawr a disgynnodd y Peth fel petai'n dod oddi ar gefn ceffyl a throi i'w hwynebu.

'D . . . D . . . Diolch,' meddai'n grynedig, bron â marw gan ofn. 'Whiw! dyna wisg. Beth ydych chi? Ydych chi'n actio mewn ffilm?'

'O, diar,' ochneidiodd hithau, 'Delyth ydw i, ond wn i ddim *beth* ydw i, na beth yw ffilm chwaith. Dwi newydd ddihuno a dwi eisiau bwyd. Beth ydych chi 'te?'

'Jest bachgen. Tristan,' atebodd y Peth. 'Dydych chi ddim yn real, ydych chi?' Pinsiodd Tristan ei hun. 'Aw! Na, dwi ddim yn breuddwydio.'

'Wrth gwrs 'mod i'n real. Oes 'da chi ryw syniad beth ydw i?'

'Wel, rydych chi'n edrych fel draig, ond dyw'r rheiny ddim yn bod—dim ond mewn straeon tylwyth teg.'

'Draig? A beth mae'r rheiny'n 'i wneud?'

'Wn i ddim yn iawn, ond rwy'n credu eu bod nhw'n ymladd marchogion ac yn anadlu tân.'

'Oes 'na lawer o farchogion o gwmpas? Achos does dim llawer o chwant ymladd arna i ar hyn o bryd.'

'Dwi rioed wedi gweld un, a dweud y gwir,' cyfaddefodd Tristan. 'Mae'n flin 'da fi. Dwi ddim llawer o help i chi. Ond dewch draw i weld fy rhieni ar y traeth nesa—yng Nghwmtudu. Fe fyddan nhw'n siŵr o fod yn gwybod. Mae'n rhaid eu bod nhw'n dechrau poeni amdana i erbyn hyn. Fedrwch chi fynd â fi draw atyn nhw?'

Edrychodd Delyth ar y clogwyn. 'Dwi ddim yn credu y medrwn i ddringo lan fan'na, ond os dewch chi ar fy ngwddw i eto, fe nofiwn ni draw.' Plygodd ei phen i'r llawr a dringodd Tristan i fyny, gan ddal i fethu â chredu beth oedd yn digwydd iddo. Os nad breuddwyd oedd y cyfan, dyna stori fyddai ganddo i'w dweud wrth ei ffrindiau yn yr ysgol.

'Pa ffordd i Gwmtudu?' holodd Delyth.

'Ffor' hyn,' atebodd yntau gan bwyntio i'r chwith. 'Dyw hi ddim ymhell.'

'Daliwch yn sownd, 'te. Dwi rioed wedi nofio o'r blaen.'

Rhoddodd Tristan ei freichiau'n dynn am wddw Delyth a llithrodd hithau i'r dŵr. Wedi cael ei dyfnder gwelodd y medrai ddefnyddio'i chynffon fel propelor ac i ffwrdd â hi o gwmpas y trwyn i gyfeiriad Cwmtudu yn weddol gyflym, gan ddal ei phen yn uchel allan o'r dŵr rhag i Tristan wlychu.

Roedd y traeth yng Nghwmtudu'n llawn. Roedd hi braidd yn oer i nofio ond roedd dau neu dri o blant yn bracso, a'r lleill gyda'u rhieni'n casglu cerrig mân a sêr môr a chregyn.

Yn sydyn chwalwyd y tawelwch gan sgrechfeydd o arswyd wrth i Delyth ddod i'r golwg.

'Anghenfil! Anghenfil y môr! Rhedwch!'

Gadawyd y cregyn a'r sêr môr a'r cerrig lliwgar—popeth yn y fan a'r lle—a'i heglu hi i fyny'r traeth. Pawb ar draws ei gilydd. Rhieni'n crafangu'u plantos o dan eu ceseiliau a'r rheini'n sgrechian dros bob man. Y cŵn, hyd yn oed, yn gadael eu snwffian a ffoi am eu bywyd yn ôl at y ceir oedd wedi'u parcio'n dynn yn y maes parcio. Roedd y cyfan yn bandemoniwm—drysau'n clepian fel dryllau, ceir yn tanio a llawer o regi a chanu cyrn. Trawodd rhai o'r ceir cyntaf yn erbyn ei gilydd, fel ceir bach y ffair, yn eu brys i ddianc. Fu 'na erioed y fath le, ond un ddamwain ddrwg fu 'na—rhwng y ddau gar olaf i fynd, a'r ddau yrrwr yn rasio'i gilydd at y gornel wrth ymyl y morllyn.

Cyrhaeddodd y ddau gyda'i gilydd ac aeth un ar ei ben i'r polyn teleffon a'i dorri yn y bôn. Cwympodd hwnnw ar draws y car, fel na allai'r pedwar oedd ynddo symud o gwbl. Yn ffodus chafodd gyrrwr y car cyntaf ddim niwed, ond roedd wedi dychryn cymaint wrth weld Delyth yn nesáu at y traeth nes iddo beidio â sylwi ar y gweiddi am help oedd yn dod o'r car arall. Neidiodd o'i gar a dechrau rhedeg nerth ei draed i fyny'r ffordd tua Llwyndafydd.

Erbyn hyn roedd Delyth yn mwynhau ei hun yn y môr, ond wrth nesu at y traeth, fe sylweddolodd fod rhywbeth o'i le. Doedd bosib bod y Pethau 'na'n ymddwyn fel hyn bob amser, yn rhedeg o gwmpas yn sgrechian a chlepian drysau!

'Beth sy'n bod arnyn nhw?' gofynnodd i Tristan.

JF3420

'Rwy'n credu eich bod wedi eu dychryn nhw,' atebodd yntau.

'Fi?' meddai hithau'n syn. 'Ond wnes i ddim byd.'

'Wel, rydych chi'n weddol fawr, chi'n gweld,' meddai Tristan, 'Ac efallai nad y'n nhw'n gyfarwydd â dreigiau, chwaith.' Meddyliodd am eiliad. 'Rwy'n credu mai'r peth gorau fyddai i chi aros ar y traeth am dipyn. Mi a' i i nôl Dad. Bydd e'n gwybod beth i'w wneud.'

Rhoddodd Delyth Tristan i lawr yn ofalus ar y traeth a dechrau pori'r pentyrrau gwymon. Aeth Tristan i fyny'r stepiau at y ffordd. Clywodd rywrai'n gweiddi am help, a phan welodd y polyn teleffon wedi disgyn ar ben y car, rhedodd draw ar unwaith.

'Allwn ni ddim dod mas. Mae'r drysau wedi plygu ac ma'n nhw'n pallu agor. Ewch i nôl help, wnewch chi,' llefodd y gyrrwr. Edrychodd Tristan i fyny ffordd Llwyndafydd ond doedd neb yno erbyn hynny. Dim enaid byw. Y ffordd, y siopau a'r caffi i gyd yn hollol wag, a dim sôn am ei rieni. Aeth yn ôl at y car.

'Mae pawb wedi mynd,' meddai. 'Ond efallai y gall fy ffrind Delyth eich helpu.' Meddyliodd y byddai'n well peidio â sôn mai Delyth oedd y ddraig.

'O, unrhyw un, unrhyw un cyn gynted ag y medrwch. Rwy'n credu bod to'r car yma'n

mynd i ddod i lawr ar ein pennau ni unrhyw funud.'

Brysiodd Tristan yn ôl i'r maes parcio. Dros y wal medrai weld Delyth yn pori gwymon. Roedd ar fin galw arni pan glywodd rywun yn galw arno ef. Roedd ei rieni, Richard a Siân Jones, yn dychwelyd dros y Foel lle'r oeddent wedi bod yn chwilio amdano. Roedd ei dad yn swnio'n go flin.

'Tristan, ble'r wyt ti wedi bod,' gwaeddodd. 'Aros di i fi gael gafael arnat ti. Elli di ddim . . .' Tagodd ei lais wrth iddo sylweddoli pam nad oedd neb ar y traeth. Roedd rhywbeth tebyg i ddraig yn cerdded i fyny'r tywod at ei fab.

'Rhed Tristan, rhed!' sgrechiodd.

'Peidiwch â phoeni, Dad, mae popeth yn iawn. Delyth yw hon ac mae hi wedi achub fy mywyd i. Ond brysiwch i lawr, mae eisiau eich help chi. Mae yna bedwar o bobol wedi eu dal mewn car rownd y gornel.'

Ond rywsut doedd dim golwg brysio ar rieni Tristan. Mae'n anodd cyfarwyddo ar unwaith â draig o faint bws dwbwl decer, hyd yn oed os yw hi newydd achub bywyd eich mab. Ond o'r diwedd fe ddilynon nhw Delyth a Thristan at y car. Roedd y gyrrwr fel petai wedi llewygu, a'r tri arall yn cuddio o dan flanced.

'Bydd yn rhaid i ni symud y polyn yna'n gynta â chraen neu Jac Codi Baw neu rywbeth,' meddai Dad, gan ofalu cadw'r car rhyngddo fe a'r ddraig.

'Fedra i fod o unrhyw help?' cynigiodd Delyth.

'Mae'n rhaid 'mod i'n cael hunllef neu rywbeth,' gwichiodd Richard, gan chwerthin yn wallgo. 'Draig yn siarad! Amhosib!'

'Beth! Ydych chi'n dweud nad draig ydw i wedi'r cwbl!'

Suddodd y polyn ychydig yn is i do'r car a dechreuodd y blanced sgrechian.

'Fedrwch chi symud y polyn, Delyth?'

'Gallaf siŵr. Dyw darn bach o bren fel yna ddim yn drwm iawn.'

Ar yr un pryd clywsant sŵn peiriant trwm

yn nesáu'n gyflym a daeth hofrennydd i'r golwg a hofran uwch eu pennau.

'Ma'n nhw'n tynnu lluniau,' gwaeddodd Tristan uwch y twrw. Ond chymerodd Delyth ddim sylw. Roedd hi'n canolbwyntio ar broblem y polyn. Gofynnodd yn gwrtais i'r lleill sefyll yn ôl ychydig, cydiodd â'i dannedd am ganol y polyn, ei godi fel petai'n ddim ond coes matsien a'i roi i lawr yn ofalus ar y borfa ar ymyl y ffordd.

'Da iawn, Delyth,' gwaeddodd Tristan, gan redeg i ganmol ei gwddw, cyn belled i fyny ag y medrai estyn, beth bynnag. 'Ac fe fydd ein lluniau yn y papurau,' ychwanegodd wrth i'r hofrennydd godi a diflannu dros y Foel. 'Dyma ddiwrnod gorau fy mywyd.'

Roedd ei dad wedi dod o hyd i far haearn mewn sied gerllaw ac wedi gwasgu drws y car ar agor. Doedd neb ynddo wedi cael niwed er eu bod wedi eu hysgwyd gryn dipyn. Ar ôl dod allan i ffwrdd â nhw i gyd i'r caffi am gwpanaid o de.

'Mae 'na gar yn dod yn araf i lawr y ffordd,' meddai Tristan rai munudau'n diweddarach. 'Car polîs.'

Aeth ei dad i gwrdd ag ef. Stopiodd y car yn ei ymyl a daeth plisman allan ohono â'i lyfr bach a'i bensil yn barod. 'Nawr 'te, beth yw'r holl ffws yma?' gofynnodd yn awdurdodol iawn. 'Pwy sydd wedi bod yn chwarae triciau brwnt ar bobol, a'u dychryn nhw â dreigiau a phethau felly?'

'Nid tric yw e,' atebodd Dad, 'Ewch i weld drosoch eich hunan.' Pwyntiodd i lawr at y morllyn lle'r oedd Delyth yn cael dracht arall o ddŵr. Martsiodd y plisman yn urddasol iawn draw ati, ond daeth yn ôl ar ras, cyn wynned â'r galchen.

'F... f... fe dd... dd... ddwedodd "Prynhawn da" wrtha i,' meddai fel rhywun wedi gweld drychiolaeth, 'S... s... sut ydw i'n mynd i egru—egrul—egluro hyn wrth y tshîff? Fe fydd e'n meddwl 'mod i'n dechrau drysu.'

'Dwedwch wrtho am ddod i weld drosto'i hunan,' awgrymodd Dad, a thasgodd y plisman yn ôl i'w gar a chwilio'n wyllt am y ffôn.

Erbyn hyn roedd pobl Cwmtudu'n dechrau dychwelyd yn ara bach, ac awgrymodd tad Tristan, gan fod ganddo dyddyn bach rhyw hanner milltir o'r traeth, y dylent gael cyfarfod ar unwaith i benderfynu beth oedd orau i'w wneud, a gwahodd Delyth yno hefyd. Wedi i bawb gyrraedd cafodd Delyth ugain bwrn o wair i'w bwyta a llyncodd y cyfan mewn chwinciad, cyn syrthio i gysgu ar ei hunion. Ni chlywodd y dadlau poeth a ddilynodd.

Roedd Tristan am gadw Delyth fel anifail anwes ond eglurodd ei dad y byddai'r gost yn

aruthrol. Byddai dim ond ugain bwrn o wair y dydd yn costio £10,000 y flwyddyn, ac ym mhle y câi gysgu? Roedd y siopwyr am gael gwared ohoni rhag ofn iddi ddychryn eu cwsmeriaid i ffwrdd.

'Ond sut y'ch chi'n mynd i gael gwared ohoni?' gofynnodd Richard.

'Ei hanfon hi'n ôl i'r man lle daeth hi,' awgrymodd perchennog y caffi.

'A beth os bydd hi'n gwrthod mynd? Beth wnawn ni wedyn?'

Doedd gan neb ateb, a phenderfynwyd cysgu dros y peth a chael gweld beth ddigwyddai drannoeth.

2.

Dihunodd Tristan gan rwbio'i lygaid a gwrando. Doedd dim sŵn llestri na choginio, a dim sŵn o'r stafell 'molchi. Er bod yr haul wedi codi a'r adar yn mynd yn swnllyd o gwmpas eu pethau, roedd ei rieni yn amlwg yn dal i gysgu. Rowliodd allan o'i wely a mynd at y ffenestr i edrych allan dros y caeau. Doedd yna ddim byd anarferol i'w weld a theimlai'n siomedig rywfodd. Roedd e wedi cael breuddwyd hyfryd os braidd yn frawychus. Piti na fedrai bywyd fod mor gyffrous, meddyliodd, gan chwerthin wrth feddwl am y plisman. Y fath olwg oedd ar ei wyneb wedi i Delyth siarad ag ef. Delyth! Whiw! Roedd e hyd yn oed wedi rhoi enw i'r ddraig yn ei freuddwyd.

Gwisgodd ei slipers a llusgo'i draed draw i stafell wely ei rieni, gan wrando eiliad i wneud yn siŵr nad oeddent yn gwisgo, a mynd i mewn a chroesi at y gwely henffasiwn. Roedd ei dad ar ddihun.

'Helô, was. Sut wyt ti'r bore 'ma?'

'Iawn, Dad, ond mi ges i'r freuddwyd fwya ffantastig neithiwr. Roedd hi mor real rwy'n medru cofio popeth. Fyddech chi byth yn dychmygu am beth freuddwydies i.'

'Am ddraig o'r enw Delyth?'

'Rargol, Dad, o'n i'n siarad â hi yn fy nghwsg?'

'Na, Tristan, doeddet ti ddim yn breuddwydio.'

Cymerodd eiliad neu ddwy iddo lyncu'r peth. Wedi'r cyfan, dim ond hanner awr wedi pump y bore oedd hi. Yna lledodd gwên dros ei wyneb i gyd, a heb boeni bod ei fam yn cysgu neidiodd i'r awyr gyda bloedd 'Hŵpî' fel Indiad Coch a charlamu'n ôl i'w stafell ei hun.

Wrth wisgo triodd feddwl am y dyfodol ac roedd ei feddyliau bron yn drech nag e. Roedd yn fwy na lwcus. Gyda draig yn anifail anwes medrai fod yn unrhyw beth yn y byd a fynnai. Fyddai neb yn mentro bod yn gas ag ef yn yr ysgol, a dyna hwyl fyddai rhannu Delyth gyda

Llŷr ei ffrind gorau. A chydag un Hŵpî' arall tynnodd ei dreiners am ei draed heb ddatod y careiau a neidiodd i lawr y grisiau dair ar y tro.

Daeth o hyd i Delyth yng Nghae Cwm, yn pori'r borfa fras. Roedd y gwartheg, er yn cadw draw, wedi ei derbyn fel buwch anarferol o fawr yn hytrach na rhywun i'w hofni a rhedodd Tristan i'w chyfarfod gan chwerthin yn hapus.

'On'd yw hi'n ddiwrnod perffaith?' gofynnodd.

'Mae'n well na chysgu mewn ogof laith,' cytunodd hithau, 'ond rwy wedi bod yn meddwl. Fe allai pethau fod yn anodd.'

'Peidiwch â phoeni,' meddai Tristan, gan feddwl bod Delyth yn poeni am gael digon i'w fwyta. 'Mae gan Dad ddigon o arian. Fe all e werthu rhai o'r gwartheg.'

Gwenodd hithau. 'Fe gawn ni weld beth ddigwyddith heddi!'

Digwyddodd anhrefn llwyr. Roedd *Yr Utgorn* wedi cael lluniau clir o Delyth ar ei ddalen flaen a rhai papurau eraill yn honni mai lluniau ffug oeddynt. Ond tawelwyd pob cwyn pan gyhoeddodd newyddion y BBC fod anifail anghredadwy ar draeth Cwmtudu—anifail a fedrai siarad Cymraeg, yn ôl pob sôn. Roedd llefarydd ar ran y llywodraeth yn rhybuddio eithafwyr rhag ceisio defnyddio hyn i gorddi teimladau gwrth-Seisnig, ac yn cynghori'r cyhoedd i gadw draw oddi wrtho. Roedd yn amlwg yn beryg bywyd, ac roedd y Cabinet yn cyfarfod i benderfynu'r ffordd orau i ddelio â'r sefyllfa.

Ond dewisodd rhyw ddeugain mil o bobl mewn ugain mil o geir ddiystyru'r rhybudd a cheisio cyrraedd Cwmtudu yn ystod y bore. Dim ond dwy ffordd sydd i'r pentre, a'r ddwy yn gul iawn heb ond ychydig o fannau lle gall dau gar basio. Erbyn deg o'r gloch roedd y ddwy'n llawn o geir, un wrth gwt y llall yr holl ffordd i'r traeth nes bod pob un yn methu symud. Gadawodd pawb ei gar a cherdded y gweddill o'r daith ac yn fuan iawn roedd tyrfa o dros ddeng mil o bobl yn trio cael golwg ar y ddraig. Roedd Richard wedi cael gair â Delyth a honno wedi cytuno, braidd yn gyndyn, iddo godi punt yr un ar bawb am gael ei gweld, a'r arian i fynd at brynu gwair (byddai ei wir angen os oedd y ddraig i aros ar y fferm). Erbyn hanner dydd, pan roddodd yr heddlu stop ar y fenter, roedd gan Richard ddigon o arian i dalu am wair am flwyddyn, ac roedd e gryn dipyn yn hapusach ynglŷn â'r syniad o gadw Delyth fel anifail anwes.

Ond byr iawn fu ei lawenydd. Yn ystod y prynhawn bu sawl ffrwgwd digon hyll pan ddechreuodd yr heddlu wrthod i ragor o bobl ddod i weld Delyth. Roedd rhai wedi cerdded dros bum milltir, ac yn gyndyn iawn i fynd ymaith heb gael cip arni. Dechreuodd rhai llanciau daflu cerrig a photeli, a phan anafwyd un cwnstabl galwyd am gymorth rhagor mewn hofrennydd a defnyddiwyd nwy dagrau. Roedd hi ymhell wedi hanner nos cyn i'r holl geir fynd i ffwrdd ac i'r heddlu fedru cau'r ddwy ffordd i'r traeth. Roedd Cwmtudu'n dawel unwaith eto a chynhaliodd y pentrefwyr gyfarfod arall i drafod y sefyllfa.

'Chawn ni ddim heddwch tra bydd y ddraig yma,' cwynodd Mrs Roberts, yr hynaf yn y pentre bach.

'Ar y llaw arall,' meddai perchennog y caffi, wedi iddo ailfeddwl, 'Rhaid i ni beidio bod yn rhy frysiog. Fe dderbyniais i fwy o arian heddiw nag rwy'n arfer ei gael mewn tri mis, a bydd angen i mi gael mwy o nwyddau i fewn—ar gwch os bydd rhaid.'

Cytunai perchennog y siop gelfi. 'Mae'n denu busnes,' meddai, 'Dewch i ni ei chadw hi am dipyn, o leia hyd nes i ni wneud digon o arian i ymddeol.'

Doedd neb ar wahân i Richard yn ystyried teimladau Delyth, na beth fyddai'r Llywodraeth yn debyg o'i wneud pe bai rhagor o reiat yng Nghwmtudu.

Erbyn trannoeth roedd pethau'n waeth os rhywbeth. Cannoedd o bobl yn dod mewn cychod o Aberteifi ac Aberystwyth, heb sôn am y miloedd a adawodd eu ceir wrth y rhwystrau ffordd a cherdded i lawr i'r pentre. Roedd pob ffordd i Geredigion yn llawn dop, ac roedd atalfa bum awr ar Bont Hafren lle câi'r toll-fythau drafferth i ddelio â'r miloedd ceir ychwanegol yn dwyn ymwelwyr o Loegr dros y penwythnos.

Sawl gwaith yn ystod y dydd bu ffrwgwd rhwng yr heddlu a'r torfeydd a'r rheiny'n mynd yn fwy ac yn fwy o hyd. Roedd y plismyn wedi cau'r lôn i dyddyn Richard ond ni fedrent rwystro pobl rhag croesi'r caeau a dringo'r cloddiau i gael golwg ar Delyth. Roedd Richard a'r teulu i gyd yn garcharorion yn eu cartref eu hunain—ond gwell hynny nag wynebu'r dyrfa o ohebwyr a ffotograffwyr oedd yn disgwyl iddynt roi eu trwynau y tu allan i'r drws. Yn ffodus, cysgodd Delyth y rhan fwyaf o'r dydd, ond roedd pawb arall yn falch o'i gweld yn dechrau tywyllu a'r torfeydd yn mynd am adref.

Am naw o'r gloch cyhoeddodd y Llywodraeth Stad o Argyfwng a bod ardal Cwmtudu yn Adran Filwrol.

'Beth mae hynny'n ei olygu, Dad?' holodd Tristan wedi clywed y newyddion.

'Mae'n golygu trwbwl, was,' atebodd Richard yn ddifrifol iawn. 'Ma'n nhw'n credu bod Delyth yn beryglus.'

'Ond dyw hi ddim wedi bygwth unrhyw un. Wnân nhw ddim byd iddi, wnân nhw?'

Edrychodd Richard i wyneb taer ei fab gan

ystyried a ddylai ddweud celwydd. 'Ma'n nhw'n mynd i drio, rwy'n ofni.'

Ciliodd y freuddwyd am fod yn arwr yn yr ysgol o feddwl Tristan. Heb Delyth fe fyddai fel pob bachgen arall. Ond yna dechreuodd ystyried pethau eraill, llai hunanol. Efallai y collai ef dipyn o sbort, ond gallai Delyth druan golli tipyn mwy, hyd yn oed... Ond roedd y posibilrwydd hwnnw'n rhy erchyll i feddwl amdano.

'Gwely, was. Gobeithio y bydd pethau'n edrych yn well erbyn y bore.'

'Ga' i fynd i ddweud "Nos Da" wrth Delyth yn gynta?'

'Iawn. Ond paid â bod yn rhy hir.'

Brysiodd Tristan draw i'r fan lle'r oedd Delyth yn gorwedd, ond roedd hi'n cysgu'n drwm ac nid oedd am ei deffro. Sisialodd 'Nos Da' ac ym mhen dim roedd yn ei wely ei hun, er na fedrai fynd i gysgu mor fuan ag arfer.

3.

'Mae'ch eisiau chi ar y ffôn, Dad—Mr Evans.' Cyfaill o ffermwr oedd Tom Evans yn byw gerllaw Nanternis.

Brysiodd Richard at y ffôn a gwyliodd ei fab ei wyneb yn newid gyda phob gair a glywai nes

bod golwg ofidus ofnadwy arno pan roddodd y ffôn i lawr.

'Be sy, Dad?' holodd Tristan.

'Dere mas 'da fi i weld Delyth.'

Ceisiodd Tristan godi ei galon drwy bryfocio. 'Dad, ry'ch chi'n dal ei hofn hi.'

'Nid Delyth sy'n fy mhoeni i, ond y sefyllfa. Ond rwy am i ti fod yno.'

Cerddodd y ddau ar draws y borfa oedd yn drwm o wlith er ei bod wedi deg o'r gloch, a daeth Delyth drosodd i gwrdd â nhw.

'Ry'ch chi'n edrych yn ddifrifol iawn,' meddai.

'Rwy newydd gael galwad ffôn gan gyfaill. Mae cannoedd o filwyr arfog wedi cyrraedd yr ardal. Rwy'n ofni 'u bod nhw yma o'ch achos chi.'

'Beth ma'n nhw'n debyg o'i wneud?'

'Mae'n anodd dweud. Pan mae dynion yn dechrau chware sowldiwrs dy'n nhw ddim yn gwybod ble i stopio.'

'Beth ddylwn i wneud, 'te?'

'Fedrech chi fynd i guddio i rywle?'

'Heblaw'r ogof wn i ddim am unman—a hwnnw fyddai'r lle cyntaf iddyn nhw ei chwilio mae'n siŵr. Mae'n well gen i aros lle'r ydw i. O leia rwy ymhlith ffrindiau fan hyn.'

Rhoddodd Tristan ei freichiau am wddw'r anifail anferth a thynnu'i law yn gariadus dros ei chen meddal. Roedd bron yn ei ddagrau—a Richard hefyd—wrth weld y ffydd oedd gan y ddraig ynddynt eu dau.

'Gobeithio mai dim ond wedi dod i helpu'r heddlu i reoli'r torfeydd y ma'n nhw,' meddai Richard. 'Fe wna i hynny fedra i, beth bynnag.'

'Fedrwch chi sbario tipyn bach rhagor o wair? Dyna'r peth pwysica ar hyn o bryd. Mae gen i dipyn o waith cryfhau wedi bod heb fwyd mor hir.'

Helpodd Tristan ei dad gyda'r gwair ac yna dringodd i'r man uchaf ar y fferm i edrych o gwmpas ond doedd dim milwyr i'w gweld yn unman. Am y tro, beth bynnag, roeddent yn cadw draw.

Yna'n sydyn, am un o'r gloch, tra oeddent ar eu cinio, amgylchynwyd y tŷ fferm gan sgwad o ddynion arfog, a rhoddwyd deg munud i'r teulu gasglu eu trysorau ac ychydig ddillad

angenrheidiol. Dywedwyd bod rhaid i'r pentrefwyr i gyd symud allan. Plediodd Tristan am gael mynd i ffarwelio â Delyth ond gwrthodwyd hynny iddo a chariwyd ef allan yn strancio a sgrechian a'i gloi mewn fen filwrol gyda'i rieni. Dygwyd hwy i'r gwesty yn Llwyndafydd lle cawsant ystafell fechan ar y llofft i'w lletya dros dro.

'Rwy'n poeni, Dad. Beth ma'n nhw'n mynd i'w wneud i Delyth?'

'Wn i ddim, Tristan.'

'Oes 'na ddim y medrwn ni 'i wneud?'

'Gawn ni weld. Dere i ni gael golwg o gwmpas.'

Gadawodd y ddau'r gwesty a cherdded i ymyl y maes parcio, lle medrent weld i lawr yr hewl i Gwmtudu. Roedd rhwystrau barb weier wedi eu rhoi ar draws y ffordd a milwyr yn gwarchod o bob ochr. Ar y lleiniau porfa safai nifer o dryciau ysgafn wedi'u llwytho â rocedi ac yn ymyl y bont roedd tanc enfawr a'i dŵr wedi'i droi'n fygythiol tuag at y bobl oedd wedi crynhoi yno.

Gadawodd Tristan a'i dad y maes parcio a chlosio at grŵp bychan o bobl.

'Ydych chi'n gwybod beth sy'n digwydd?' gofynnodd Richard.

'Ddim yn hollol,' oedd yr ateb. 'Ar y funud ry'n ni'n disgwyl Llŷr Thomas—aelod seneddol y Blaid, wyddoch. Fe ddylai fod yma unrhyw funud.'

'Dyn da yw e,' meddai Richard. 'Bydd yn rhaid iddyn nhw ateb rhai cwestiynau go fanwl.'

Tra oedd ei dad yn sgwrsio roedd Tristan wedi gwthio'i ffordd drwy'r dyrfa a dod at y milwyr. Doedd crwtyn deg oed fawr o fygythiad iddynt, a gwenodd un ohonynt arno.

'Helô, 'ngwas i,' meddai yn Saesneg, 'a beth yw dy enw di?'

'Colin,' smaliodd Tristan, gan esgus bod yn gyfeillgar. 'Beth y'ch chi'n mynd i'w wneud?'

'Beth hoffet ti i ni wneud?'

'Chwythu'r anghenfil yna'n yfflon!' meddai Tristan, gan groesi'i fysedd.

'Fallai mai dyna wnawn ni hefyd. Fe glywais y sarjant yn dweud ein bod yn mynd i gripian i fyny ar y ddraig yna heno, ac os bydd hi'n cysgu fe glymwn ni hi i lawr â chadwynau. Yna'r peth cynta bore fory, pan fydd yn ddigon golau i ni weld, ry'n ni'n mynd i ymosod. Bang! Bang! A dyna ddiwedd arni,' chwarddodd y milwr.

'Ac eitha peth â hi, hefyd,' meddai milwr arall. 'Ma'n nhw'n dweud ei bod hi wedi lladd y pentrefwyr i gyd, felly mi fydd yn rhaid i ni fod yn ofalus.'

Dadgroesodd Tristan ei fysedd. 'Gobeithio y bydda i wedi codi mewn pryd i weld hynny,' meddai, gan droi i gerdded yn araf yn ôl at ei dad.

Weddill y dydd bu wrthi'n dawel bach yn gwneud ei gynlluniau ar gyfer y noson honno. Ni ddywedodd air wrth ei dad a'i fam achos gwyddai y byddent yn siŵr o'i stopio. Roedd ei gynlluniau'n llawn perygl!'

Maes o law cyfarfu Richard â Llŷr Thomas a chael ei fod yn cefnogi Delyth, ond nid oedd yr Aelod Seneddol wedi cael atebion boddhaol o gwbl i'w gwestiynau. 'Fe wnawn beth bynnag fydd raid,' oedd unig ymateb swyddogion y fyddin.

Anfonwyd Tristan i'r gwely am naw. 'Tria beidio â phoeni gormod a cher i gysgu'n syth,' meddai ei fam wrth roi cusan Nos Da iddo.

'Mae Dad a minnau'n mynd i gyfarfod sy'n cael ei gynnal yn y maes parcio. Fyddwn ni ddim yn hir iawn.'

Dyna'r broblem o adael ystafell y gwesty heb i'w rieni ei weld wedi ei setlo beth bynnag. Yn syth ar ôl iddyn nhw fynd, gwisgodd Tristan yn frysiog, stwffiodd far o siocled i'w boced a sleifio allan. Roedd y maes parcio yn llawn dop o bobl yn gwrando ar siaradwr dros Hawliau Anifeiliaid. Yn y canol roedd rhyw fath o lwyfan a gwelodd Tristan ei dad yn eistedd gyda Llŷr Thomas a rhyw bobl bwysig yr olwg. Gwyddai fod ei fam rywle yn y dorf ond doedd fawr o beryg iddo ddod ar ei thraws hi. Gwthiodd yn ffwdanus drwy'r dyrfa ac allan i'r ffordd a cherdded at y tro i Gwmtudu. Byddai'n rhaid iddo fod yn ofalus nawr.

Ei gynllun cyntaf i fynd heibio'r barb weier a'r tanc oedd aros tan y deuai lorri neu rywbeth drwodd a cheisio sleifio heibio y tu ôl iddi yn y tywyllwch. Ond gwelodd y byddai hynny'n amhosib. Roedd llifolau nerthol yn goleuo pob modfedd o'r hewl a'r bont fel canol dydd. Allai e byth groesi'r bont heb gael ei weld.

Ond beth am fynd *dan* y bont? Doedd yr afon ddim yn ddwfn iawn a byddai ei sŵn yn rhedeg dros y cerrig yn boddi unrhyw sŵn a wnâi ef. Yn wir, dyna'r unig ffordd i fynd heibio i'r milwyr, felly aeth yn ôl bron at y maes parcio a phan feddyliodd nad oedd neb yn gweld, llithrodd dros y clawdd i'r cae. Tynnodd ei sanau a'i sgidiau, torchi'i drowsus a throedio'n dawel bach i fewn i'r dŵr. Roedd hi'n eitha tywyll yno ac yn ddiogel iddo symud yn weddol gyflym, ond cyn iddo gyrraedd hanner y ffordd i'r bont roedd ei goesau bron â fferru yn y dŵr oer. Eisteddodd ar y geulan am ysbaid gan rwbio'i draed yn galed nes bod pinnau bach poenus yn rhedeg drwyddynt. Y tu mewn iddo roedd llais bach yn dweud wrtho am roi'r gorau i'r fath gynllun ffôl. Pwy oedd e'n ei feddwl oedd e? Rhyw Ddafydd yn ymladd Goliath y fyddin? Ond er nad oedd ganddo fawr o obaith llwyddo gwyddai na fedrai byth faddau iddo'i hun pe na bai o leiaf yn rhoi cynnig ar achub Delyth.

Pan ddaeth i ddechrau teimlo bysedd ei draed unwaith eto, ymlaen ag ef yn ei gwrcwd nes dod at lwyn bychan yn hongian allan dros y dŵr. Arhosodd am eiliad i gael ei wynt. Roedd tua deng metr o'r llwyn i'r bont, ond disgleiriai'r llifolau tanbaid ar y darn hwnnw, ac yn waeth fyth roedd un o'r milwyr yn pwyso dros ganllaw'r bont yn gwylio'r dŵr. Gwyddai Tristan y byddai'n rhaid iddo aros nes byddai hwnnw'n symud.

Ymhen hir a hwyr daeth tryc o rywle ac aeth y sowldiwr draw i helpu sarjant a gamodd allan ohono. Mewn chwinciad roedd Tristan wedi llithro'n ôl i'r afon fel dwrgi, a chan gadw un llygad ar yr hewl bracsodd cyn gynted ag y medrai at y bont ac i mewn o dani. Ond wrth gyrraedd trawodd fys ei droed yn erbyn carreg fawr a chwympodd ar ei benliniau yn y dŵr. Ni fentrai riddfan hyd yn oed a bu'n rhaid iddo aros yn hollol llonydd am eiliad rhag ofn bod y milwyr wedi clywed. Yna, a'i drowsus yn wlyb diferu cripiodd yn ddistaw i ben arall y bont.

'Be sy gyda chi fan'na, Sarjant?' meddai llais uwch ei ben.

'Tshaen ddur, 'machan i, digon cryf i gadw unrhyw beth i lawr. Fydd gan y ddraig 'na ddim gobaith pan gawn ni hon amdani.'

'Wel, Sarj, pob lwc i chi. Iawn, mae'n glir i chi'n awr.'

Sŵn peiriant yn tanio, a'r bont yn crynu i gyd wrth i'r tryc trwm ei chroesi. Ac yn sŵn y tryc gwelodd Tristan, a bys ei droed wedi gwella tipyn erbyn hyn, ei gyfle. Llithrodd yn gyflym allan o dan y bont gan gadw yn y cysgod ac i lawr yr afon fach o'r golwg.

Wrth gwrs, byddai'n fwy diogel i gadw at yr afon yr holl ffordd, ond gan ei bod yn daith o ryw ddwy filltir, a'r cwm yn llawn drysi a brigau coed, penderfynodd Tristan wisgo'i sanau a'i sgidiau a dringo'r geulan yn ôl i'r ffordd. Byddai'n rhaid iddo neidio i lawr eto os clywai rywbeth yn dod.

Ddwywaith bu'n rhaid iddo guddio pan ruodd tryc heibio, ond roedden nhw'n mynd

mor gyflym fel mai prin y byddent wedi sylwi arno beth bynnag. Ond nawr ac yntau'n nesu at Gwmtudu clywai dipyn o sŵn mynd a dod a gwyddai y byddai'n rhaid iddo fod yn ofalus dros ben. Doedd e ddim am fethu'n awr wedi dod mor bell.

Mae yna lôn gul, serth, sy'n cydio'r ddwy ffordd sy'n arwain i Gwmtudu. Tua dau can metr yr ochr bellaf i'r lôn hon gwelodd Tristan grwpiau o filwyr yn cael mygyn a sgwrs. Roedd arno chwant mynd yn nes i wrando, ond mentro heb eisiau fyddai hynny. Roedd y lôn fach ar y dde yn wag ar y funud a gwyddai y medrai gyrraedd tyddyn ei dad o'r lôn honno drwy groesi o un cae i'r llall. Gan gadw'n glòs at fôn y clawdd, dringodd hanner ffordd i fyny'r rhiw, yna dros y llidiart ac i fewn i'r cae ar y dde. Dim ond un cae arall oedd rhyngddo ef a Delyth. Edrychai bron yn rhy hawdd.

Roedd wedi croesi'r cae cyntaf a thua hanner y ffordd drwy'r ail pan fu ond y dim iddo'i ddangos ei hun i res o filwyr oedd yn gorwedd yn fflat ar eu boliau ar lawr. Digwyddodd un ohonynt besychu'n ysgafn pan oedd Tristan tua deng metr i ffwrdd. Oni bai am hynny buasai wedi bod ar ben arno. Rhewodd yn y fan. Yna yn dawel, dawel bach ciliodd yn ôl ar flaenau'i draed nes ei fod rhyw ugain metr y tu ôl iddynt a gorweddodd ar lawr. Dim ond mewn pryd. Y funud nesaf daeth y lleuad allan o'r tu ôl i gwmwl nes goleuo'r cae i gyd a dangos golygfa ryfedd.

Yr ochr bellaf i'r cae, ac yn dal i gysgu'n dawel i bob golwg, gorweddai Delyth. Tua phymtheng metr oddi wrth ei chynffon a thua'r un pellter oddi wrth ei phen safai dau dŵr ac yn cysylltu'r ddau roedd anferth o raff weier drom tua deg centimetr ar hugain o drwch. Yr ochr draw i Delyth roedd tua chant o filwyr yn brysur wrth ryw waith a thua'r un faint yn gorwedd yn y cae o flaen Tristan. A chyn i'r lleuad ddiflannu unwaith yn rhagor cafodd gip ar ryw bethau bygythiol iawn yr olwg, tebyg i rocedi, ar ramp yn pwyntio'n syth at Delyth.

'Beth yn y byd sy'n digwydd?' meddyliodd Tristan gan drio gwneud pen a chynffon o'r hyn a welai. Yna cofiodd am y tshaen ddur yr oedd y sarjant wedi sôn amdani. Roedden nhw'n mynd i glymu Delyth i lawr, a fedrai e wneud dim i'w helpu, dim ond gwylio, neu wrando'n hytrach, a disgwyl.

Wedi tua deng munud clywodd un, dwy, tair, pedair, 'pop' fach ysgafn a sŵn hisian isel yn dilyn. Clywodd y sowldiwrs yn symud yn y tywyllwch ac yna sŵn rhywbeth yn cael ei lusgo. Dyheai am i'r lleuad ddod allan eto, ond doedd dim arwydd o olau yn yr awyr o gwbl. Oedd Delyth wedi ei dal? Gorweddai'n llonydd yn gwrando a dyfalu.

4.

Dihunodd yn sydyn. Sut gallodd e gysgu ar y fath adeg? Roedd hi'n dechrau goleuo tua'r dwyrain a'r wawr ar dorri. Sylwodd fod y milwyr oedd rhyngddo a Delyth wedi mynd. Roedd yn rhaid bod gwylwyr yn rhywle o'r golwg, a gweddïai na fedrent ei weld. Yn ara bach dechreuodd gropian ymlaen ar ei fol nes o'r diwedd cyrhaeddodd y rhwyd weier oedd erbyn hynny wedi ei rhoi dros Delyth a'i hoelio i'r llawr â phegiau dur anferth. Medrai ei chlywed yn anadlu'n ysgafn. Roedd yn amlwg nad oedd ganddi syniad am y perygl o'i chwmpas.

Roedd tua deg centimetr ar hugain rhwng pob gwe o'r rhwyd, felly'r oedd yn weddol hawdd iddo ddringo i fyny'r ochr. Pan aeth Delyth i gysgu roedd wedi troi ei phen i bwyso ar hyd ei chefn fel rhyw alarch anferth, a dringodd Tristan i fyny at ei phen, neu'n hytrach at un o'i chlustiau.

'Delyth,' sisialodd, 'Delyth, dihunwch.' Ond doedd dim arwydd ei bod wedi clywed. Ni fentrai weiddi, rhag ofn y milwyr, felly rhoddodd ei ben i fewn i'w chlust a thrio eto. Atseiniai ei lais fel petai'n siarad mewn bwced, ond y tro hwn teimlodd ryw gyffro bach yn y ddraig.

'Delyth. Fi, Tristan, sy 'ma. Peidiwch â siarad o gwbwl ond os ydych chi'n effro nodiwch eich pen. Reit?' Symudodd Delyth y mymryn lleiaf. Ond roedd hynny'n ddigon i ysgwyd y rhwyd ddur.

'Sh... sh... sh,' sisialodd Tristan wedyn, 'Peidiwch â gwneud dim sŵn o gwbwl. Ry'n ni mewn perygl ofnadwy.' Yn fyr iawn eglurodd wrthi beth oedd wedi digwydd.

'Ma'n nhw wedi rhoi'r rhwyd ddur yma drostoch chi, mae milwyr o'n cwmpas ni ac mae rocedi gyda nhw'n pwyntio tuag aton ni. Dwi ddim yn credu bod unrhyw ffordd y medrwn ni ddianc,' meddai'n drist.

'Beth am fynd yn syth i fyny?' awgrymodd hithau'n dawel.

'Beth y'ch chi'n 'i feddwl?'

'Wel, wn i ddim a lwydda i, ond mae'n werth rhoi cynnig...'

'Be?' holodd Tristan.

'Pan ga' i'r cadwyni yma i ffwrdd, rwy'n credu mai hedfan fyddai'r ffordd orau i ddianc.'

'Wrth gwrs,' sibrydodd yntau'n falch. 'Ro'n i wedi anghofio bod adenydd gan ddreigiau. Ond does gyda ni fawr o amser. Ma'n nhw'n mynd i ymosod gyda'r wawr ac mae'n dechrau goleuo'n barod.'

'Reit,' meddai Delyth, 'mae'n bryd symud. Bydd yn saffach i chi gadw mas o'r ffordd, achos pan fydd y rhwyd yma'n torri bydd darnau'n tasgu dros y lle. Mae'n well i chi chwilio am rywle i guddio.'

Dringodd Tristan yn ôl i lawr y rhwyd a llithrodd y tu ôl i un o'r tyrrau oedd yn ei dal. Oddi yno gallai wylio ymdrechion Delyth i gael gwared o'i rhwymau.

Ceisiodd hithau symud ond roedd y rhwyd yn rhy dynn. Dair gwaith fe driodd ei gorau ac o'r diwedd llwyddodd i droi ei phen tuag ymlaen. Un ymdrech arall, ond dim lwc. Roedd y rhwyd a'r tshaen yn rhy gryf. Yna digwyddodd peth syfrdanol. O dan ei bol, dechreuodd ei chen gwyrdd hardd droi'n goch a'r lliw'n lledu i bob cyfeiriad nes bod hyd yn oed blaenau'i hadenydd yn goch tanbaid. Dechreuodd mwg ddod o'i ffroenau a phan agorodd ei cheg daeth pelen enfawr o dân gwynias allan nes cuddio'r rhwyd o'i blaen a'r tshaen yn llwyr. Hyd yn oed o'i guddfan medrai Tristan deimlo'r gwres ffyrnig. Toddodd gwe'r rhwyd fel cannwyll a chydag un ysgydwad grymus taflodd Delyth y darnau llosg oddi arni a chodi ar ei thraed gan ddal i chwythu ambell bwff o fwg a thân.

Ar unwaith dyma'r milwyr yn dechrau tanio, a'r bwledi'n tasgu oddi ar gen y ddraig.

'Stopiwch!' gwaeddodd Delyth â llais fel taran, 'Peidiwch! Dwi ddim am wneud niwed i neb. Ond gwyliwch!' Ar hynny dyma belen o dân yn saethu ar draws y cae a tharo'r rocedi

oedd yn barod i'w tanio. Gydag un ffrwydriad enfawr saethodd y rheiny i'r awyr fel noson Tân Gwyllt a'r sŵn yn fyddarol a holl liwiau'r enfys yn llenwi'r awyr. Pan dawelodd pethau doedd dim ar ôl ond pwll o fetel wedi toddi.

'Dere Tristan,' galwodd Delyth yn isel, a chyn i'r milwyr ddod atynt eu hunain rhedodd yntau o'i guddfan a chael ei godi i eistedd ar ei gwddf. 'Nawr dal yn sownd.'

Daliodd Tristan fel gelen wrth i'r adenydd mawrion ddechrau curo. Prin y teimlodd y ddraig yn gadael y llawr o gwbl, ond yn sydyn gwelodd ei fod yn uchel yn yr awyr a Chwm-tudu'n fach, fach o dano a dynion fel morgrug ar y llawr—rhai yn rhedeg yn ôl a blaen ac eraill yn syllu i fyny. Ar y dechrau roedd Tristan yn teimlo'i ben yn troi, ond hedfanai Delyth mor llyfn nes i'w ofn ddiflannu a dechreuodd fwynhau'i hunan.

'Y broblem nesa yw ble i fynd,' meddai Delyth. 'Dyw Llwyndafydd ddim yn saff, yn ôl beth ddwedoch chi, ond fedra i ddim hedfan yn bell iawn, achos dyma'r tro cyntaf i mi ei thrio hi, ac mae cyhyrau fy adenydd yn brifo'n barod.'

'Fe wn i am yr union le, dim ond rhyw bum neu chwe milltir i ffwrdd—Cwm Madyn. Tyddyn bach un o ffrindiau fy nhad. Mi fedrech chi guddio yn y coed yno—mae'n hollol dawel.'

'Iawn. Pa ffordd?'

Cyfeiriodd Tristan Delyth at y ffordd i Lwyndafydd ac ymhen ychydig funudau roeddent uwchben y pentre. Roedd ffrwgwd ar y bont a miloedd o bobl wedi casglu ar yr hewl. Yn sydyn gwelodd rhywun y ddraig yn hedfan uwch eu pennau a throdd pawb i edrych. Peidiodd yr ymladd a thorrodd bloedd fawr o hwrê drwy'r cwm i gyd.

'Ma'n nhw'n swnio'n falch iawn,' meddai Tristan gan chwifio'i law ar y dorf o dano. 'Nawr anelwch am yr eglwys acw yn y pellter.'

Yn fuan iawn roeddent yn croesi uwchben tir gwag. Doedd hi ond pump o'r gloch y bore ac roedd hyd yn oed y ffermwyr yn eu gwelyau.

'Edrychwch, dacw Gwm Madyn, lle mae'r ddau lyn fan draw. Well i chi lanio'n agos i'r coed.'

Glaniodd y ddau yn ddiogel ac ar unwaith aeth Delyth i guddio yn y coed derw rhag ofn y dôi hofrenyddion i chwilio amdani. Gwnaeth Tristan yn siŵr ei bod o'r golwg yn llwyr cyn troi am y tŷ. Teimlai ar ben ei ddigon. On'd oedd e newydd gael reid ar gefn draig? Ac wir, roedd Tristan dipyn yn fwy nerfus wrth feddwl am ddeffro Mr O'Flynn am bump o'r gloch y bore nag y bu wrth fynd ar gefn Delyth am y tro cyntaf. Ond roedd yn rhaid gwneud, felly dyma guro ar y drws nes bod Llwynog y ci'n dechrau cyfarth fel rhywbeth o'i go'.

Ymhen ychydig funudau daeth Mr O'Flynn, wedi gwisgo'n frysiog, i'r drws. Roedd yn synnu gweld Tristan yr adeg honno o'r bore ond yn falch yr un pryd, a Llwynog yn ei gyfarch fel hen, hen ffrind.

'Wel wir, Tristan, rwyt ti'n dipyn o arwr,' meddai Mr O'Flynn, 'Ti a dy ddraig. Wyt ti a dy rieni wedi dod i aros yma nes bod pethau'n tawelu tipyn?'

'Dyw Dad a Mam ddim yn gwybod 'mod i yma.'

'Beth,—dwyt ti ddim wedi cerdded yr holl ffordd yma dy hunan?'

'Na. Hedfan wnes i. Hynny yw, Delyth ddaeth â fi.'

'Gan bwyll, nawr, gan bwyll. Yn fy oed i mae'n anodd derbyn dreigiau a phethau felly. Ble mae Delyth nawr?'

'Yn cuddio yn eich gallt chi. Gwell i chi gael gwybod popeth sy wedi digwydd.'

'Aros i mi gael gwneud cwpanaid o goffi'n gyntaf—fe allet ti wneud y tro ag un hefyd wrth dy olwg di.'

A thros eu coffi bu'r ddau'n siarad am amser nes bod Mr O'Flynn wedi cael yr hanes i gyd.

'Y peth cyntaf i'w wneud,' meddai wedi ysbaid o dawelwch, 'yw cael gair â Delyth. Mae hi wedi cael ei hypsetio ddigon yn ddiweddar, a dwi ddim am wneud dim byd arall i'w chynhyrfu. Yna bydd rhaid ffonio dy rieni. Mi fyddan nhw'n poeni'n arw amdanat ti.'

'Efallai eu bod nhw wedi 'ngweld i'n hedfan dros Lwyndafydd.'

'Hm. Efallai.' Casglodd y cwpanau a'u rhoi yn y sinc. 'Nawr 'te, ei di â fi i gwrdd â Delyth, plîs? Llwynog, bydd yn well i ti aros fan hyn. Dw i ddim yn credu y byddet ti'n hoffi dreigiau.'

Cerddodd Padi O'Flynn a Thristan i lawr i'r coed a dechrau trafod gyda Delyth y peth gorau i'w wneud. Wrth gwrs, byddai'n rhaid bod yn ofalus iawn wrth gysylltu â Richard rhag i neb ddod i wybod ble'r oedd Delyth. Yna gwell aros am dipyn i weld beth wnâi'r awdurdodau. Dwedodd Delyth, yn swil braidd, y byddai'n dda ganddi gael rhyw lond ceg fach i'w fwyta—rhyw ugain bwrn bach arall o wair efallai! Roedd wedi defnyddio llawer o'i nerth yn hedfan a gwneud tân.

Wrth adael y coed, clywsant sŵn hofrenyddion yn hedfan yn isel uwchben. Sawl un ohonynt—yn amlwg yn chwilio am Delyth. Wedi i'r hofrenyddion ddiflannu i'r pellter aethant yn ôl i'r tŷ.

Roedd y ffôn i Lwyndafydd yn brysur iawn ac aeth oriau heibio cyn i Mr O'Flynn fynd drwodd. Gofynnodd am gael siarad â thad Tristan a phan ddaeth ar y ffôn meddai, 'Padi sy 'ma. Mae T a D yn C.M.'

'T? O, ydy e? Popeth yn iawn?'

'Ydy. Ond mae'n rhaid i chi drefnu'r cam nesa.'

'Iawn. Mi fydda i'n cwrdd â Llŷr cyn iddo hedfan yn ôl i Lundain. Mi ro' i'r newyddion iddo. Hwyl.'

Rhoddodd y ffôn i lawr. Petai rhywrai'n gwrando ni fyddent wedi cael amser i olrhain galwad mor fyr, hyd yn oed petaent yn sylweddoli pwy oedd T a D.

Yna ffoniodd Mr O'Flynn gymydog o ffermwr a chael addewid ganddo am ddau ddwsin o fyrnau gwair—i'w ddefaid, esgus bach. Aeth i'w 'mofyn a chyda help Tristan cariodd nhw i'r allt lle llowciodd Delyth y cyfan mewn byr amser. Roedd hi ar lwgu.

Treuliodd Tristan brynhawn digon difyr yn trio dal brithyll yn y nant fach yng ngwaelod y cae—heb lwyddo chwaith. Yn y cyfamser cadwodd Padi o fewn clyw i'r ffôn ond ni ddaeth dim galwadau eraill. Bob awr gwrandawai ar y newyddion. Roedd pethau'n dechrau poethi tua Llundain ac roedd dadl i fod ar ymateb y Llywodraeth i 'Achos Delyth'. Siarad eto, meddyliodd. Gweithredu oedd yn bwysig, nid siarad. Ond fedrai e wneud dim mwy ar hyn o bryd. Aeth i 'mofyn Tristan amser te ac yn yr hwyr buont yn chwarae gêmau tan tua naw o'r gloch.

'Amser gwely, Tristan, rwy'n credu.'

'O, plîs ga i weld y newyddion yn gynta? Falle y bydd sôn amdana i,' meddai'n daer.

Gwenodd Mr O'Flynn. 'O'r gore, ond yn syth i'r gwely wedyn. Mae 'da ti waith dal i fyny â'r cwsg gollest ti neithiwr cofia.'

'Diolch, Mr O'Flynn,' meddai Tristan gan neidio ar y soffa.

Dechreuodd y newyddion yn ddigon digyffro —manylion am Delyth yn dianc a'r chwilio amdani. Yna, ar ganol brawddeg torrodd y cyflwynydd ar ei draws ei hun. '. . . a hyd yn hyn does dim arwydd. . . Rydym yn torri ar draws y newyddion i fynd yn fyw i Dŷ'r Cyffredin. Mae yna ddatblygiadau cyffrous.'

Ar y sgrin daeth golygfa o fedlam lwyr. Ar un ochr i'r Tŷ roedd rhai aelodau'n union fel pe baent yn dawnsio'r haka, a'r lleill fel plant ysgol yn gwneud awyrennau papur o'u papurau trefn ac yn eu taflu at feinciau'r Llywodraeth gan sgrechian eu gwawd. Roedd yr aelodau a eisteddai yno'n crymu a'u pennau yn eu dwylo fel pe bai diwedd y byd wedi dod.

'Beth sy'n digwydd?' gwaeddodd Tristan, gan ruthro i benlinio'n llygaid i gyd o flaen y teledu.

Ond nid Padi a atebodd ond y Gohebydd Seneddol, yn gweiddi uwch y twrw. 'Wel, dyma'r olygfa yn y Senedd lle mae canlyniad pleidlais o ddiffyg ymddiriedaeth a alwyd gan yr Wrthblaid, newydd gael ei gyhoeddi. Prin bod angen i mi ddweud bod y Llywodraeth wedi colli ac wedi ymddiswyddo.'

Oedodd am eiliad ac uwch y sŵn roedd llais y Llefarydd yn galw, 'Order! Order!! Order!!!'

O'r diwedd galwyd y Tŷ i drefn ac yn y tawelwch cyhoeddodd y Llefarydd yn ei lais awdurdodol, gofalus, 'Cyn codi, mae gan y Tŷ hwn un mater pwysig i'w drafod. Gan fod y Llywodraeth wedi'i threchu ar fater Delyth, fy nyfarniad i yw y dylai pob gweithredu yn erbyn y ddraig gael ei ohirio tan i lywodraeth newydd benderfynu beth i'w wneud.'

Trodd y camera at y Prif Weinidog a nodiodd hwnnw cyn plygu'i ben fel rhywun wedi llwyr ddigalonni.

'Drychwch, dacw Llŷr Thomas!' gwaeddodd Tristan, ac yn wir roedd yr aelod Cymreig wedi codi fraich ym mraich ag aelodau eraill o'i Blaid a dechrau canu 'Hen Wlad Fy Nhadau' nerth eu pennau, a llawer o'r Wrthblaid yn ymuno â nhw nes bod y lle i gyd fel cymanfa ganu. Cydiodd Tristan a Padi ddwylo a dechrau canu gyda nhw, ac wedi gorffen dawnsiodd y ddau o gylch yr ystafell fel pethau gwallgo nes i Tristan syrthio ar y soffa yn llwyr allan o wynt. Helpodd Padi ef i'w stafell wely, ac mewn ychydig funudau roedd yn cysgu'n drwm, a'i ddillad yn dal amdano.

Ond roedd ar ddihun gyda'r wawr ac yn

rhuthro i ystafell Mr O'Flynn heb braidd guro'r drws.

'Mae'n fore, Mr O'Flynn. Rhaid i ni fynd i ddweud y newyddion wrth Delyth.'

Edrychodd Padi ar ei wats, 'Jiw, jiw, dyw hi ddim yn bump eto.' Ochneidiodd. 'O wel, cystal i chi fynd i roi'r tegell i ferwi. Fedra i ddim dechrau'r dydd heb gael paned.'

Yn fuan wedyn roedd Padi a Thristan ddiamynedd yn brysio i lawr at yr allt i ddweud hanes y noson cynt wrth Delyth. Roedd honno'n teimlo yr hoffai ddathlu drwy hedfan unwaith eto ac felly i ffwrdd â hi â Thristan a Phadi ar ei chefn—er nad oedd Mr O'Flynn yn teimlo'n rhyw saff iawn. Wedi dychwelyd glaniodd Delyth yn y cae uchaf a dechrau pori tipyn tan i'r ymwelwyr ddechrau cyrraedd. Y cyntaf oedd Mr a Mrs Jones, wedi cael eu dal i fyny mewn tagfa draffig yn Synod Inn. Roedden nhw wrth eu bodd yn gweld Tristan eto, ac yn diolch i Delyth am edrych ar ei ôl mor ofalus. Yn fuan wedyn roedd y cae yn fôr o wynebau, a gofynnwyd i Delyth wneud araith, a honno'n cael ei recordio gan gamerau'r BBC. Roedd yn llwyddiant mawr.

Dilynwyd y llwyddiant hwnnw gan lawer un arall, gan i Delyth a Thristan hefyd gael eu gwahodd i drefi mawr Cymru i gyd. Daeth ceisiadau am i Delyth gario sawl Brenhines Carnifál, a lluniwyd llwyfan bach cyfforddus a

reilen o'i gwmpas i ffitio ar ei gwddf, i ddiogelu'r teithwyr. Lawer gwaith aeth â rhywun i ysbyty ac roedd hi bob amser yn barod i helpu mewn damweiniau ac yn y blaen.

Ond pan na fyddai'n brysur roedd hi'n hoffi chwarae gyda Thristan yng Nghwmtudu neu fynd ag ef a'i ffrindiau am drip o gwmpas y bae. Weithiau hefyd byddai'n mynd yn ôl i'r ogof lle cafodd ei geni a meddwl wrthi'i hun tybed a oedd yna rywle yng Nghymru ogof arall a draig arall yn dal i gysgu dan swyn Myrddin— un a fyddai efallai'n gariad iddi.

Gyda'r holl brysurdeb hwn aeth yr amser heibio'n fuan iawn i bawb, nes daeth gwyliau'r haf. Ar wahân i'r Nadolig, hwnnw oedd hoff amser Tristan, nid yn unig am fod yr ysgol ar gau, ond hefyd am fod rhywbeth pwysig iawn yn digwydd iddo yn yr ail wythnos o Awst, ac eleni gallai hwnnw fod hyd yn oed yn fwy arbennig nag arfer.

Delyth a'r Alarch Du

1.

'. . . Pen blwydd hapus i Tristan, Pen blwydd hapus i ti.' Roedd llais clir Mam a thenor Dad a bas trwm Delyth gyda'i gilydd yn swnio braidd yn od, ac yn eitha tlws hefyd, nes gwneud i Tristan deimlo'n hapus dros ben. Roedd y pedwar ohonynt ar y lawnt o flaen y tŷ, a'r bwrdd, oedd wedi ei gario allan o'r gegin, yn llawn o bresantau. Fel arfer, wrth gwrs, byddai rhywun yn disgwyl cael ei barti yn y tŷ, ond roedd Delyth yn llawer rhy fawr i fynd i mewn, felly roedd yn rhaid ei gael y tu allan. Drwy lwc roedd pen blwydd Tristan ym mis Awst, ac roedd y deuddegfed o Awst, eleni beth bynnag, yn ddiwrnod heulog braf.

'P'un agora i gynta, Mam?' gofynnodd Tristan.

'Agor fy un i,' atebodd hithau. 'Gad y rhai gorau tan y diwedd.'

Gwyddai Tristan, wrth gwrs, fod presantau'r teulu'n dod oddi wrth Dad a Mam gyda'i gilydd, ond bod Mam yn rhoi ei henw hi wrth y pethau 'defnyddiol'. Eleni roedd y rheiny bron i gyd yn ddillad—y wisg swyddogol y byddai'n ei gwisgo pan ddechreuai yn Ysgol Aberaeron ym mis Medi. Edrychai'n smart iawn, a bu bron iddo benderfynu ei thrio amdano cyn agor ei bresantau eraill, ond roedd yno rai mawr dieithr yr olwg oddi wrth Dad, ac un tipyn llai ond llawn mor rhyfedd oddi wrth Delyth, ac roedd yn rhaid iddo gael gwybod beth oedd ynddyn nhw.

'Eich un chi nesa, Dad,' meddai gan geisio codi'r parsel mwyaf. 'Yr argoel, mae'n drwm. Rwy bron yn methu'i godi.'

Aeth i lawr ar ei draed a'i ddwylo a cheisio datod y clymau, a chael cyn lleied o siâp arni nes i Mam fynd i nôl siswrn iddo. Cyn pen chwinciad roedd yn tynnu'n ddiamynedd ar y papur llwyd.

'Dad! Pabell!' Edrychodd ar y parseli eraill. Roedd y rheiny i gyd yn llai. 'Ond ble mae'r polion?'

'Does dim angen rhai. Pabell iglŵ yw hi. Dim ond awyr sy'n ei dal i fyny.'

'O, Dad, ry'ch chi'n tynnu 'nghoes i.'

'Nac ydw, wir. Fe gei di weld wedi brecwast. Fe all unrhyw un â thipyn bach o sens godi pabell iglŵ hyd yn oed yn y tywyllwch, ac ma'n nhw'n gryf iawn hefyd. Nawr agor y presantau eraill.'

Gyda'r babell roedd yna bwmp troed, pegiau, set goginio a llestri a sach gysgu—popeth y byddai ei angen arno i fynd ar wyliau gwersylla.

'O, Dad, mae'n fendigedig. Jyst y peth. Pryd ga' i fynd i wersyllu?'

Chwarddodd Dad a throi at Mam. 'Beth ddwedais i wrthoch chi? Ro'n i'n gwybod mai dyna'r peth cynta y byddai'n ei ofyn. Wel, fe gawn ni weld sut bydd y tywydd.'

'Agor yr un ola 'te,' meddai Mam. 'Yna mae'n rhaid i mi fynd i wneud brecwast.'

Bu'n rhaid cael y siswrn unwaith eto cyn i Tristan agor, yn ofalus iawn, y presant a roddodd Delyth iddo. Camera. Ond nid unrhyw hen gamera. Roedd hyd yn oed Tristan yn medru gweld bod hwn yn un o'r rhai gorau yn y wlad. Roedd yno hefyd nifer o becynnau bychain eraill yn y parsel; golau fflach, hidlau a lens teleffoto, a dau rolyn o ffilm du a gwyn yn barod i'w rhoi i fewn ar unwaith.

'Wel,' meddai Tristan, ar ôl dod dros y sioc o weld y fath anrheg, 'Mae'n berffaith—dim ond un rhad o Woolworth fu gen i o'r blaen. Ydy e'n anodd i'w ddefnyddio?'

'Paid ti â phoeni,' chwarddodd Dad gan edrych ar y cyfarwyddiadau. 'Buaswn i, hyd yn oed, yn medru defnyddio hwn. Mae popeth yn otomatig—y ffocws yn otomatig, a'r golau, ac agor y ffenest. Wedi brecwast fe gawn ni i gyd dynnu llun neu ddau.'

Ar ôl brecwast, a chael mefus ar ei flegorns arferol, gyda help Dad tynnodd Tristan lun Mam yn gwisgo'i gap ysgol newydd a'i sgarff.

Gyda help Delyth tynnodd lun Dad yn pwmpio'r babell i fyny, ac yna, heb ddim help o gwbwl, tynnodd luniau Delyth yn bwyta gwair, hedfan a gwneud pob math o bethau. Byddai wedi hoffi tynnu ei llun yn anadlu tân, ond eglurodd hi mai dim ond pan fyddai'n ddig y medrai wneud tân.

Erbyn hyn roedd Dad wedi gorffen pwmpio'r babell i fyny, ac ar unwaith roedd yn rhaid i Tristan gael cropian i fewn iddi drwy'r drws bach. Roedd hyd yn oed yn brafiach y tu mewn nag oedd y tu allan, a gorweddodd Tristan ar ei sach gysgu gan esgus ei fod allan yng nghanol Diffeithwch Sahara. Rhoddodd Mam ei ginio iddo yn y babell, ar ei set lestri picnig newydd. Roedd wrth ei fodd. Yn y prynhawn, gan fod

Dad a Mam yn brysur, gofynnodd Delyth a hoffai Tristan fynd am reid fach. Gallai dynnu lluniau o'r awyr â'i gamera newydd, a hyd yn oed drio'r lens teleffoto, efallai.

Yn gyntaf aethant draw am Langrannog a thynnu lluniau o Garreg Bica, ac yna i'r gogledd i gyfeiriad Cei Newydd. Rhyw filltir neu fwy heibio i harbwr Cei Newydd roedd yna

gwch pysgota bychan allan yn y môr a'r dynion arno'n codi cewyll cimwch, ond roedd Delyth yn hedfan yn rhy uchel i Tristan weld yn iawn. Dyma'r union gyfle, meddyliodd, i drio'r lens teleffoto. Felly dyma'i osod ar y camera, croesi'i fysedd ac anelu a gwasgu'r botwm. Gan mai honno oedd y ffilm ola ar y rholyn newidiodd hi am un newydd ar unwaith, ac yna gofyn i Delyth hedfan yn ôl gyda glan y môr.

'Fe hoffwn i gael llun neu ddau o'r pysgotwyr cimwch yna eto,' meddai. 'Dim ond un dynnais i gynnau, ac efallai na fydd hwnnw'n un rhy dda.'

Trodd hithau'n ôl dros yr harbwr, dipyn yn is y tro hwn, a dechrau cylchu uwchben y cwch pysgota. Tynnodd Tristan nifer o luniau o sawl ongl. Ond yn sydyn clywodd weiddi o fwrdd y cwch, ac yna ergyd a rhywbeth yn chwibanu heibio wrth i fwled dasgu oddi ar gen bol Delyth.

'Y ffŵl gwirion!' meddai hithau, gan saethu i fyny i'r awyr ymhell o gyrraedd bwledi. 'Beth sy'n bod arno? Mae'n gwybod na wna i ddim niwed iddo. Mae'n well i ni adael llonydd iddyn nhw. Gest ti'r lluniau?'

'Do, diolch. Fedrwch chi fynd yn ôl dros Gwm Madyn ar y ffordd adre? Rwy'n siŵr y bydd Mr O'Flynn yn falch o gael llun o'i fferm o'r awyr.'

Dyna beth oedd pen blwydd hapus. Erbyn iddyn nhw gyrraedd adre roedd Mam wedi paratoi gwledd, ac ni chafodd Tristan ond prin amser i newid ei ddillad cyn i'r cyntaf o'i ffrindiau guro ar y drws. Wedi te o ragor o fefus a hufen, danteithion o bob math, ac anferth o deisen ben blwydd siocled, aethant allan i chwarae nes iddi ddechrau tywyllu a dod yn amser i'w ffrindiau gael eu dwyn adref, ac i Tristan fynd i'w wely. Gorweddodd yno'n gyffyrddus braf yn meddwl am yr holl hwyl a gâi â'i babell a'i gamera newydd, nes syrthiodd i gysgu wedi blino'n lân.

2.

Yn fuan wedi saith o'r gloch fore trannoeth roedd ei fam yn ei ddeffro. 'Besybod?' mwmian-odd, hanner ffordd rhwng cwsg ag effro.

'Ble roist ti'r camera neithiwr?' holodd hithau'n ofidus.

‘Ar y silff lyfrau gyda’r pethau eraill. Pam?’

‘Wyt ti’n siŵr, Tristan?’

‘Wrth gwrs ’mod i’n siŵr. Rwy’n cofio’i weld e’r peth diwetha cyn dod i’r gwely. Pam? Beth sy’n bod?’

‘Mae dy dad yn dweud ei fod e wedi’i weld hefyd pan aeth i gloi’r drws am y nos.’

‘Dyw e ddim ’na’n awr, ’te?’ Roedd nodyn o bryder yn ei lais erbyn hyn.

‘Rwy’n ofni nad yw e, Tristan. Mae’n well i ti godi.’

Doedd dim angen dweud yr eilwaith. Gwisgodd yn syth a brysio i lawr. Roedd popeth arall lle’r oeddent y noson cynt. Y golau fflach, yr hidlyddion a’r lens teleffoto. Ond dim camera, na dim sôn amdano’n unman.

‘Dyw pethau ddim yn edrych yn dda, Tristan,’ meddai Dad yn ddifrifol iawn. ‘Mae rhywun wedi torri i mewn drwy ffenest y gegin a’i ddwyn. Yn rhyfedd iawn, dy’n nhw ddim wedi cyffwrdd â dim byd arall o gwbl. Rwy wedi ffonio’r polîs, ac mi fyddan nhw yma tua naw. Ma’n nhw’n gofyn i ni beidio â chyffwrdd dim byd.’

Roedd yn frecwast gwahanol iawn y bore hwnnw. Roedd Mam yn trio’i gorau i fod yn galonnog, gan ddweud y byddai’r heddlu’n siŵr o ddod o hyd iddo. Ond roedd Tristan bron iawn â chrio. Pwy allai fod wedi mynd ag e? Pwy oedd yn gwybod bod ganddo gamera?

Gofynnodd y polîs yr un cwestiwn.

'Neb, heblaw rhai o'm ffrindiau a ddaeth i'r parti. Fyddai dim amser iddyn nhw fod wedi dweud wrth neb ond eu rhieni.'

'Wel, mae hynna'n gychwyn, beth bynnag,' meddai'r Sarjant. 'Mae'n rhaid bod rhai o dy ffrindiau wedi cymryd ffansi at dy gamera di.'

'Ond fyddai'r un o'r rheiny fyth yn ei ddwyn, rwy'n siŵr o hynny. Dim byth.'

'Erbyn meddwl,' meddai'r Sarjant wedyn. 'Prin y byddai neb o dy oedran di'n ddigon cryf i agor y ffenest. Rhai o'u brodyr hŷn, falle.'

'Chreda i mo hynny chwaith.' Roedd Tristan yn crio erbyn hyn.

'Mae arna i ofn mai dyna'r unig ateb,' meddai Mam yn dyner, a chan droi at y Sarjant meddai wedyn, 'Fe fyddwch yn bwyllog, on' byddwch chi, Sarjant, ac mor dirion ag y gallwch? Fynnwn i ddim i Tristan golli'i gyfeillion i gyd.'

'Peidiwch chi â phoeni. Fe ddywedwn ni fod y camera wedi'i golli. Yn aml iawn mae lleidr ifanc yn dychryn pan yw'n gwybod ein bod ni ar ei drac ac yn cael gwared o'r dystiolaeth. Falle y byddwch chi'n lwcus.'

Wedi i'r heddlu adael treuliodd Tristan fore diflas dros ben. Fedrai e ddim siarad â Delyth hyd yn oed. Roedd honno'n cysgu'n drwm a doedd neb am ei phoeni â'r newyddion drwg. Aeth allan i chwarae yn ei babell a cheisio meddwl am y Sahara eto, ond yn ofer. Roedd yn dal i feddwl am ei ffrindiau'n cael eu holi gan y polîs! Sut fyddai e'n teimlo petai rhai o'i ffrindiau'n credu ei fod yn lleidr? Fe fyddai'n eu casáu, ac yn awr byddai ei ffrindiau'n ei gasáu yntau.

O'r diwedd daeth yn amser cinio. Doedd arno fawr o chwant bwyd, ond mynnodd fwyta rhywfaint. A dweud y gwir, bu bron â mwynhau gorffen y treiffl oedd yn sbâr o'r parti pen blwydd. Yn fuan wedyn aeth y ffôn, a chlywodd Tristan ei dad yn ateb.

'Do fe? Ym mhle 'te? Ry'ch chi'n dod ag e'n ôl? Bydd, rwy'n siŵr y bydd e'n falch.'

Prin y medrai Tristan gadw'n dawel. Ei gamera. Roedden nhw wedi dod o hyd iddo. Allan ag ef i'r cyntedd nerth ei draed.

'Ydyn nhw wedi'i gael e, Dad?'

'Ydyn. Ac mae'n debyg nad oes dim o'i le arno.'

'Hwrê. Fyddan nhw'n gorffen holi Llŷr a'r lleill nawr?'

'Wn i ddim, 'machgen i. Unwaith y bydd y polîs ar y trywydd, dy'n nhw ddim yn rhoi i fyny'n hawdd, ond fe ga' i air eto â'r Sarjant.'

Am y chwarter awr nesaf roedd Tristan ar bigau'r drain. Rhedai at y llidiart bob tro y clywai sŵn car, a phan gyrhaeddodd car yr heddlu o'r diwedd aeth â'r Sarjant yn syth i mewn i'r tŷ at ei fam a'i dad.

'Chi sy bia hwn?' gofynnodd y Sarjant gan dynnu camera allan o'i fag a'i roi ar y bwrdd. Bron na thrawodd pennau y tri yn ei gilydd wrth i Dad a Mam a Thristan bwyso ymlaen i gael gwell golwg arno.

'Ie. Mae'n union yr un fath.'

'Mae ei rif gen i fan hyn, i gael bod yn hollol siŵr,' meddai Dad gan gymharu'r rhif oedd ganddo ar ddarn o bapur â'r ffigwr ar y camera. 'Ie, un Tristan yw hwn, diolch fyth. Rwyt ti'n lwcus iawn.'

'Diolch yn fawr i chi, syr,' meddai Tristan wrth y Sarjant. 'Ond gan 'mod i wedi'i gael e'n ôl nawr, a fydd yn rhaid i chi holi rhagor ar fy ffrindiau?'

'Dwi ddim yn credu bod llawer o bwynt i hynny bellach. Yn rhyfedd iawn, roedd y lleidr wedi cael gwared ohono bron ar unwaith siŵr o fod. Mae wedi bod allan yn y gwlith y rhan fwyaf o'r nos am wn i, a gwna di'n siŵr ei fod yn sychu yn berffaith. Does dim ôl bysedd arno, ac felly does 'da ni fawr o ddim i weithio arno, os na ddigwydd rhywbeth arall. Mae'n rhyfedd iawn nad aeth y lleidr ag e adref. Ond dyna hi. Ac yn awr, syr, os arwyddwch chi yn y fan hyn i ddweud eich bod wedi cael eich eiddo'n ôl, mi fydda i ar fy ffordd.'

Arwyddodd Dad a hebryngodd y plisman at y drws. Aeth Tristan i 'mofyn clwtyn a dechrau sgleinio pob dernyn o grôm ar ei gamera. Nid oedd yn edrych damaid gwaeth. Dyna lwc fod y tywydd yn sych a chynnes. Ac yna sylwodd fod ffenest y ffilm yn wag.

'Dad!' galwodd. 'Mae rhywun wedi tynnu'r ffilm mas!'

Daeth Dad i weld drosto'i hun ac agor y camera. Doedd dim amheuaeth—roedd y ffilm wedi mynd.

'Rhyfedd!' meddai. 'Rhyfedd iawn. Rwy'n

credu ei bod yn bryd i ni gael pwyllgor gyda Delyth, os yw hi ar ddihun.'

Newydd ddeffro oedd Delyth. Roedd hi'n brysur yn ymestyn ei hunan, ac fel arfer bron â llwgu eisiau bwyd. Aeth Dad i 'mofyn rhyw ddwsin o fyrnau gwair iddi a thra oedd Delyth yn brysur yn llowcio'r rheiny cafodd hanes y camera a'r ffilm goll. Wedi cysidro am beth amser yn ddwys iawn rhoddodd hithau ei barn.

'Mae yna ddau beth sy'n bwysig yn yr achos hwn,' meddai, gan swnio'n debyg iawn i dditectif ar y teledu. 'Yn gyntaf, mae'n edrych yn debyg bod gan y lleidr fwy o ddiddordeb yn y ffilm nag yn y camera. Yn yr ail le, nid ffrindiau Tristan oedd yr unig rai oedd yn gwybod am y camera.'

'Ro'n i'n gwybod nad un ohonyn nhw aeth ag e,' meddai Tristan ar ei thraws. 'Ond pwy arall oedd yn gwybod fod gen i gamera newydd?'

'Wel, efallai nad o'n nhw'n gwybod ei fod e'n gamera newydd, ond ro'n nhw'n ddig iawn dy fod ti'n tynnu eu lluniau nhw , on'd o'n nhw?'

'Y pysgotwyr hynny,' gwaeddodd Tristan. 'Y pysgotwyr cimwch lan yn y Cei! Ond pam 'u bod nhw mor ddig o achos dau neu dri llun bach?'

'Efallai nad pysgota am gimwch ro'n nhw,' meddai Mam. 'Ond dyna ni, ddown ni byth i wybod mwy.'

'Hanner munud!' Neidiodd Tristan i fyny ac

allan o'r stafell ar ras, gan ddod yn ôl mewn eiliad â ffilm yn ei law. 'Fe dynnais un llun ar y rholyn yma, ond ro'n i'n trio'r lens teleffoto am y tro cynta, felly dwi ddim yn gwybod a ddaw hi allan ai peidio. Allwn ni ei phostio i gael ei thrin yn syth?'

'Gwell na hynny. Mae Padi yn trin ei ffilmiau'i hunan i gyd. Fe ffonia i e ar unwaith,' meddai Dad. 'Rwy'n siŵr y bydd e ond yn rhy falch o gael helpu.'

Bu Dad ar y ffôn am amser, ond pan ddaeth nôl o'r diwedd roedd yn gwenu'n braf. 'Mae Padi yn fodlon trin y ffilm heno wedi iddi dywyllu, ac yn cynnig i ni gyd aros yng Nghwm Madyn dros nos os na fydd gwahaniaeth gyda ti Tristan wneud un peth. A wyddost ti beth yw hwnnw?'

'Na. Beth?'

'Cysgu yn dy babell. Fe gei di aros yno am ddiwrnod neu ddau os hoffet ti.'

'O, Dad, grêt! All Llŷr ddod hefyd? Mae e wedi bod yn gwersylla o'r blaen, fe ddwedodd e hynny pan o'n ni'n edrych ar y babell neithiwr. Rwy'n siŵr y byddai wrth ei fodd yn cael dod.'

'Efallai y byddai hynny'n syniad da,' meddai Mam. 'Os bydd dau ohonoch chi, fyddwch chi ddim o dan draed Padi. A pheth arall, efallai y byddet ti ofn cysgu wrth dy hunan.'

'O Mam!' cwynodd Tristan—ac yntau'n mynd i Ysgol Aberaeron ym mhen mis!

Bum munud wedyn dyma hi'n ôl eto. 'Dyna ni,' meddai. 'Mae Llŷr yn mynd i ddod draw cyn gynted ag y bydd wedi casglu'i bethau. Drwy lwc mae sach gysgu gydag e, ac mae'n dod â bord sy'n plygu, a stolau, felly fe ellwch gwcio'n weddol hwylus. Gwell i ti ddod nawr i wneud yn siŵr ein bod ni'n pacio popeth.'

Mae'n syndod gymaint o bethau sy eu hangen ar wersyllwyr, ac erbyn iddynt gasglu'r cyfan at ei gilydd a'u rhoi yn y car doedd dim digon o le i Dad a Mam a'r ddau fachgen, felly cynigiodd Delyth hedfan draw â'r bechgyn ar ei chefn. Roedd hithau hefyd am gael gwybod beth oedd ar y ffilm honno p'un bynnag.

Cyrhaeddodd Llŷr, a dyna ragor o stwff i'w bacio i mewn i'r car. Roedd e rai misoedd yn hŷn na Thristan ond roedden nhw bron â bod mor debyg i'w gilydd â dau efaill. Roedd ganddyn nhw'r un gwallt tywyll a lliw croen, yr un llygaid brown, ac er bod Tristan rhyw fodfedd yn dalach roedd pobl yn aml yn camgymeryd un am y llall. Yn wir caent gryn hwyl o achos hynny yn yr ysgol. Roedd y ddau'n eistedd gyda'i gilydd ac yn gorfod gwisgo dillad gwahanol rhag drysu'r athrawon. Bachgen bywiog, llawn dychymyg oedd Llŷr. Roedden nhw'n ben ffrindiau.

O'r diwedd roedd popeth yn barod, a dyma Dad a Mam i ffwrdd yn y car gan adael y bechgyn gyda Delyth. Doedd Llŷr ond wedi

hedfan unwaith neu ddwy o'r blaen, ac yn tueddu i gael y bendro os edrychai i lawr, ond roedd y gist fach ar gefn Delyth yn ddigon diogel, er bod y lle braidd yn fach i ddau. Doedd hi fawr o ffordd i Gwm Madyn, a chyn pen fawr o dro roedd y ddau lyn bach a'r coed yn y golwg. Glaniodd Delyth yr ochr isaf i'r tŷ a daeth Mr O'Flynn i gwrdd â nhw gyda Llwynog y ci'n llusgo y tu ôl iddo.

'Helô, chi'ch dau,' meddai. 'Croeso i Gwm Madyn. Dere 'mlaen, Llwynog, dweda "Helô" wrthyn nhw. Dyw Delyth ddim yn mynd i dy fwyta di.'

A chan gadw un llygad ar y ddraig llyfodd Llwynog wynebau'r bechgyn yn ufudd a chilio'n ôl i'r tŷ a'i gwt rhwng ei goesau.

'Rwy'n mynd i gael golwg o gwmpas,' meddai Delyth wrthynt. 'Fe fydda i'n ôl cyn bo hir.' Cododd i'r awyr eto gan fwrw i gyfeiriad Cei Newydd, ac aeth Mr O'Flynn i ddangos i'r ddau fachgen ble i godi'r babell. Tua deng metr ar hugain o'r tŷ roedd darn gwastad o dir a charafán arno.

'Does neb yn y garafán ar hyn o bryd,' eglurodd wrthynt, 'a gellwch ei defnyddio os mynnwch. Mae yna ddŵr a thoiled ynddi, a theledu hefyd os byddwch eisiau.'

'Pawb at ei bost i ddadlwytho,' meddai Dad wrth dynnu'r car i fewn ar bwys y garafán, a chyn pen fawr o dro roedd y taclau i gyd wedi eu cario i fewn. Dewiswyd llecyn gwastad i'r babell a gwnaeth Dad yn siŵr fod Tristan yn gwybod sut i'w chodi cyn cario'u pethau nhw i mewn i'r tŷ. Siawns na fyddai'r babell wedi'i chodi dipyn yn gynt petai Dad wedi bod wrthi, ond wedi cryn dipyn o duchan a stryffaglio llwyddodd y bechgyn i roi'r babell a'r sachau a'r bwrdd a'r stolau yn eu lle. Archwiliodd Dad y cyfan a chyhoeddi bod y cwbl yn berffaith. Yna aeth pawb i mewn i'r tŷ.

'Pryd ydyn ni'n mynd i drin y ffilm?' gofynnodd Tristan.

'Fe alla i ei thrin hi ar unwaith—mae gen i

danc yn y cwtsh dan stâr—ond allwn ni ddim ei phrintio hi tan iddi dywyllu, rywbryd wedi naw. Does gen i ddim ystafell dywyll at y pwrpas,' meddai Mr O'Flynn.

'Fe gawn ni aros ar ein traed i weld, ond cawn ni, Dad?' holodd Tristan yn obeithiol.

'We. . .e. . .l, wnaiff un noson hwyr fawr o ddrwg i chi, a gellwch aros yn y gwely'n hwyr bore fory, achos chi'ch hunain fydd yn gorfod gwneud eich brecwast.'

Cymerodd tuag ugain munud i drin y ffilm. Diflannodd Mr O'Flynn i fewn i'r cwtsh dan stâr a dod allan mewn rhai munudau gyda'r tanc trin. Roedd y bechgyn wedi meddwl y byddent yn medru gweld y ffilm yn newid ond cawsant eu siomi. Ond wedi gorffen y sefydlu a'r golchi, roeddent mor awyddus â neb i weld a oedd llun y llong wedi dod allan yn glir.

'Dyw e ddim yn debyg i ddim byd—mae'r cyfan yn dywyll,' meddai Tristan yn siomedig.

'Na, na. Cofiwch chi mai negatif yw hwn,' eglurodd Mr O'Flynn. 'Bydd popeth sy'n ddu ar hwn yn dod allan yn wyn ar y print. Dewch i mi gael golwg arall arno.' Gan ei ddal i fyny i'r golau syllodd yn fanwl ar y negatif a nodio'i ben. 'Mae'n berffaith,' meddai. 'Rwy'n credu ein bod hyd yn oed wedi cael enw'r cwch, ond mae'n rhy fach i mi fod yn siŵr. Fe wna i hwn yn llawer mwy o faint, ac fe welwn ni'n glir wedyn.'

Pegiodd y negatif i fyny i sychu, a thra oedden nhw'n disgwyl cawsant de braf o ham a salad. Daeth Delyth yn ôl a chael gwybod yr hanes diweddaraf, a dywedodd hithau iddi wneud yn siŵr bod y cwch pysgota wedi mynd.

Yn ara bach sychodd y mannau tywyll ar y negatif a dwedodd Mr O'Flynn na fyddai golau'n gwneud unrhyw niwed bellach, felly dyma glirio'r bwrdd yn barod i ddechrau. Wedi paratoi llestri'r defnydd trin a'r sefydlydd newidiodd Padi y bwlb golau a rhoi golau stafell dywyll yn ei le, ac yna rhoi'r ffilm yn yr ymestynnydd.

'Yn gyntaf oll rwy'n mynd i chwyddo'r llun i gyd,' meddai, 'ac yna fe allwn ni chwyddo unrhyw fannau arbennig yn fwy fyth.'

Roedd Tristan a Llŷr yn llygaid i gyd yn gwylio ffocws y golau ar y papur ffotograffig wrth i hwnnw gael ei roi yn y tanc prosesu. Wedi rhai eiliadau dechreuodd rhyw gysgodion ymddangos ar y papur, gan raddol fynd yn dywyllach a chliriach. Yna golchwyd y print, a'i sefydlu a'i olchi wedyn.

'Fe gawn ni olwg ar hwn dan olau cryfach,' meddai Mr O'Flynn, gan wneud yn siŵr fod y papur ffotograffig yn ôl yn ei amlen. Goleuodd lamp ddarllen a chawsant i gyd olwg fanwl ar y print. Medrent weld y cwch yn glir. Ar ei ben blaen roedd rhyw lythrennau mân, mân.

Pwysai tri dyn dros gawell cimwch, ond roedd eu hwynebau o'r golwg.

'A fedrwch chi chwyddo bow y cwch?' gofynnodd Dad, gan bwyntio'i fys at y llythrennau. 'Ac efallai y byddai'n well i ni gael golwg gliriach ar y cawell cimwch yma. Mae'n nhw'n edrych fel 'tase diddordeb mawr 'da nhw'n hwnnw.'

'Wrth gwrs,' cytunodd Mr O'Flynn. 'Fe a' i â'r ymestynnydd i fyny i landin yr ystafell wely a'i anelu i lawr ar y llawr fan'ny. Ond bydd rhaid i rywun ddweud wrtha i pan fydd y ffocws yn iawn.'

Aeth â'r ymestynnydd i fyny'r grisiau a rhoi'r plwg i fewn. Diffoddodd Dad y golau a rhoi cerdyn post ar y llawr. Dwedodd wrth Padi pan oedd y llun arni'n glir, gan ddefnyddio'r llythrennau ar fow y cwch i'w helpu. Yna rhoddodd gerdyn arall lle'r oedd llun y cawell cimwch, a phan oedd popeth yn barod, rhoddodd bapur ffotograffig yn lle'r cardiau. Trodd y golau arnynt am yr amser cywir, ac unwaith eto roedd rhaid trin y papur, ei sefydlu a'i olchi. Gan fod popeth yn edrych yn iawn rhoddodd Mr O'Flynn y bwlb golau'n ôl yn ei le, gan na fyddai angen y golau stafell dywyll rhagor.

'Nawr 'te,' meddai, 'dewch i ni gael gweld be sy gyda ni.'

'Rwy'n medru gweld llythrennau,' meddai Llŷr, 'ond alla i ddim deall y geiriau.'

'Darllenwch nhw allan 'te. Mae'ch llygaid chi'n well na'm rhai i.'

'L E, yw'r gair cynta, rwy'n credu; C Y G N E, dyna'r ail, ac yna N O I R. Beth mae hynny'n 'i feddwl?'

'Le Cygne Noir—Yr Alarch Du—dyna enw'r cwch. Enw Ffrangeg. Efallai bod y cwch yn dod o Ffrainc.'

'Beth? Dod yr holl ffordd yma i bysgota cimwch?'

'Na,' meddai Dad, oedd yn syllu ar yr ail brint, 'nid dal cimwch maen nhw.'

Edrychodd pawb ar yr ail lun. Tu mewn i'r cawell roedd yna gwdyn plastig du.

'Beth y'ch chi'n feddwl sy yn hwnna, Padi?' gofynnodd Dad.

'Rwy'n credu ein bod wedi dod ar draws tipyn o smyglo,' atebodd yntau, 'ac mi fentrwn i mai cocên neu heroin neu rywbeth tebyg sy yn y cwdyn yna. Beth arall fyddai'n eu gyrru i ddwyn y ffilm a saethu at Delyth?'

'Beth y'ch chi'n mynd i'w wneud?' gofynnodd Mam. 'Ddylen ni ddim ffonio'r polîs?'

'Fe gawn ni drafodaeth gyda Delyth yn gyntaf. Na, nid chi fechgyn. Mae'n bryd i chi fod yn y gwely.'

'O, Dad!' cwynodd Tristan, ond roedd y ddau ohonynt wedi blino'n lân, ac mewn gwirionedd yn ddigon parod i fynd i'w pabell. A pheth arall, hen beth digon sych yw trafodaeth.

3.

Dihunwyd y ddau yn gynnar iawn fore trannoeth gan yr haul ar furiau'r babell. Doedden nhw ddim wedi blino o gwbl, ac wedi codi a rhoi llyfiad fach i'w hwynebau â lliain llaith daethant i ben â berwi bob o wy ar eu hoffer newydd. Roedd Delyth yn dal i gysgu'n drwm a doedd neb yn symud yn y tŷ felly aeth y ddau â'r cwch bach allan ar y llyn, gan wneud

cymaint o sŵn nes deffro pawb. Roedden nhw wedi penderfynu peidio â dweud dim wrth yr heddlu am y tro, ond byddai Delyth yn cadw llygad ar hyd glan y môr bob dydd i weld a ddôi'r cwch yn ôl.

Roedd hi'n nefoedd ar y bechgyn am y tri diwrnod nesaf, ar ôl i rieni Tristan fynd adref. Roedd Mr O'Flynn yn mynd â nhw i lawr i draeth Cei Newydd bob bore gyda'u brechdanau, ac yn dod i'w hôl yn hwyr y prynhawn. Fe gawson nhw amser gwych yn nofio a rhwyfo a darganfod ogofeydd. Ar y trydydd prynhawn penderfynodd Tristan wario peth o'i arian pen blwydd ac aethant eu dau i'r caffi ar bwys y cei a phrynu bob o nicerbocer glori. Roedd yn fendigedig, meddyliodd Tristan, wrth grafu gwaelod ei ddysgl â'r llwy.

'Hoffet ti un arall?' gofynnodd i'w gyfaill. 'Mae gen i ddigon o bres.'

'Na, dim diolch,' atebodd hwnnw. 'Mae un yn hen ddigon i fi.'

'Wel, rydw i'n mynd i gael un arall. Dyw Mam byth yn gadael i mi gael ail un, ond dyw hi ddim yma heddiw.'

Aeth i 'mofyn ail nicerbocer glori a dechrau bwyta'n awchus. Yn fuan iawn roedd e wedi cael digon, ond nid oedd am ildio chwaith. Gorfododd ei hun i fwyta'r gweddill, nes y daeth golwg ryfedd braidd ar ei wyneb.

'Wyt ti'n teimlo'n iawn?' gofynnodd Llŷr wrth iddynt adael y caffi.

'Mi fydda i'n well mewn munud,' atebodd Tristan.

Ond teimlai'r siwrnai yn ôl i Gwm Madyn dipyn yn fwy garw nag arfer ac roedd golwg ddigon llwyd ar Tristan erbyn cyrraedd. Er i Delyth ddweud bod y cwch wedi ailangori yn y bae, chymerodd e fawr o sylw. Roedd cur yn ei ben a phoen yn ei fol. Doedd dim amheuaeth amdani, roedd e'n sâl. Tra oedd Llŷr yn twymo pwdin triog braf i de gorweddai Tristan yn ochain, ac yn hollol siŵr ei fod yn ddifrifol wael. Ni symudodd o'r fan pan ddaeth sŵn hofrennydd yn isel uwchben, ond rhedodd Llŷr allan i'w gweld. Hedfanodd unwaith o gylch Cwm Madyn a chododd Llŷr ei law ar y peilot. Gan fod yr hofrennydd mor isel, gallai ei weld yn berffaith glir. Yna fe drodd i ffwrdd a hedfan yn ôl i gyfeiriad Cei Newydd.

'Mwy na thebyg bod y peilot am ddangos

Delyth i'w deithwyr,' meddai Tristan rhwng pyliau o salwch.

'Efallai,' meddai Llŷr, 'ond do'n i ddim yn gweld neb ond y peilot ynddi chwaith. Nawr 'te, hoffet ti gael peth o'r pwdin triog blasus yma?'

'Ych! Dwyt ti ddim yn gweld 'mod i'n marw?'

Tuag wyth o'r gloch dechreuodd Tristan daflu i fyny a'i ben yn curo fel drwm. Meddyl-iodd Mr O'Flynn y byddai'n well iddo gysgu yn y tŷ am y nos. Dyw cael rhywun yn taflu i fyny mewn pabell ddim yn neis iawn.

'Beth amdanat ti, Llŷr? Mae 'na wely yn y tŷ os byddai'n well gen ti.'

'Na, dim diolch. Mi fydda i'n iawn fan hyn. Gobeithio y bydd Tristan yn well yn y bore.'

'Wedi ypsetio'i stumog y mae e, dyna i gyd. Arno fe mae'r bai am fwyta dau nicerbocer glori.'

Noson ddigon ffwdanus fu hi yng Nghwm Madyn. Taflodd Tristan i fyny eto, ddwywaith cyn hanner nos, ond wedi'r ail waith teimlai dipyn yn well ac aeth i gysgu. Yna, tua phedwar o'r gloch y bore dechreuodd Llwynog gyfarth, a dal i gyfarth nes i Mr O'Flynn ddeffro a gweiddi arno. Doedd ryfedd yn y byd fod pawb yn hwyr yn codi fore trannoeth—wedi wyth—yn hwyr iawn i Padi.

Roedd Tristan yn teimlo fel deryn. Y tamaid lleiaf o gur pen, dyna i gyd, a diflannodd hwnnw wedi cwpanaid o goffi. Yna aeth allan i weld ei ffrind. Ond doedd Llŷr ddim yno, ac roedd y babell yn bendramwnwgl. Roedd y llestri coginio wedi eu bwrw i'r llawr a saim o'r babell ffrio dros sach gysgu Llŷr oedd â rhwyg yn ei hochr. Rhedodd Tristan i nôl Mr O'Flynn ac edrychodd hwnnw'n ddifrifol iawn pan welodd olwg y babell.

'Dwi ddim yn leicio golwg hyn o gwbl,' meddai. 'Rwy'n mynd i ffonio dy dad. Paid â chyffwrdd â dim byd. Cer i ddeffro Delyth. Fe all rhywbeth difrifol iawn fod wedi digwydd.' Rhuthrodd yn ôl i'r tŷ, a rhedodd Tristan i ddweud wrth Delyth oedd yn pori ym mhen draw'r cae.

'Mae Mr O'Flynn yn dweud am ddod ar unwaith,' pwffiodd. 'Mae Llŷr ar goll.'

Wrth gerdded at y tŷ, eglurodd Tristan braidd yn euog sut y bu i Llŷr orfod cysgu ar ei ben ei hun.

'Mwy na thebyg ei fod wedi blino disgwyl amdanat ti a'i fod wedi mynd am dro,' meddai Delyth.

'Na. Roedd y babell yn bendramwnwgl a phopeth hyd y lle. Fyddai e byth yn gadael y babell yn y fath annibendod.'

Daeth Mr O'Flynn i'w cwrdd ar y lawnt. 'Mae eich rhieni chi'ch dau ar y ffordd. Fe benderfynwn ni beth i'w wneud pan gyrhaeddan nhw.'

Ymhen rhyw ddeng munud daeth car a phedwar o bobl bryderus iawn at y tyddyn. Cawsant bip i fewn i'r babell cyn mynd i'r tŷ a Thristan gyda nhw. Y funud honno, canodd y ffôn.

'Helô. Ydy, mae tad Tristan yma. Richard, rhywun i chi.'

Cydiodd Richard yn y ffôn a chlywed llais yn dweud yn Saesneg, 'Gwrandewch yn ofalus, os ydych chi am weld Tristan eto.'

'Tristan?' meddai yntau'n syn.

'O, doeddech chi ddim yn gwybod ei fod ar goll? Ry'ch chi'n dad gofalus, on'd y'ch chi? Nawr gwrandewch. Os y'ch chi am weld eich mab yn fyw eto, mae'n rhaid i'r ddraig yna ein helpu ni i ddod â pharsel yn groes i'r Sianel. Oes gyda chi bensil?'

'Oes.'

'Mae'n rhaid iddi gasglu'r parsel oddi ar gwch pysgota fydd bum milltir union i'r gogledd o Ile d'Oissant, ar arfordir Llydaw. Mae'n rhaid iddi fod yno am wyth o'r gloch union nos yfory, a dod â'r parsel yn ôl a'i ollwng ar fwrdd *Le Cygne Noir,* y cwch hwnnw y buoch chi'n tynnu lluniau ohono. Y'ch chi'n deall? Fe gaiff Tristan ei ryddhau ddeuddeg awr yn ddiweddarach. Ydy hynna'n glir?'

'Ydy.'

'Fe ffonia i eto am bedwar y prynhawn yma. Erbyn hynny fe fyddwch chi wedi gwneud trefniadau â'r ddraig. Mae'n well i chi wneud yn siŵr ei bod yn cytuno.'

Clywodd glic ac aeth y ffôn yn fud. Trodd Richard i wynebu'r lleill a'i wyneb yn wyn gan fraw.

'Mae'n ddrwg gen i,' meddai. 'Mae Llŷr wedi cael ei herwgipio. Ma'n nhw'n credu mai Tristan sydd gyda nhw, a gadewais iddyn nhw gredu hynny. Mi fydd Llŷr ryw gymaint yn fwy diogel felly. Nawr mae'n rhaid i ni siarad â Delyth, achos mae hi yn y busnes hefyd.'

Aeth pawb allan i'r lawnt at Delyth a dwedodd Richard wrthi am yr alwad ffôn. Gwrandawodd hithau'n astud ac yna meddai, 'Wrth gwrs, mae'n rhaid gwneud popeth i gael Llŷr yn ôl yn ddiogel, hyd yn oed os bydd hynny'n golygu mynd i gasglu'r parsel. Ac mae'n rhaid rhoi gwybod i'r polîs ar unwaith.'

'Rwy'n cytuno,' meddai Richard. 'Mae'n rhaid i ni gael help.'

Ychydig cyn amser cinio cyrhaeddodd nifer o blismyn dan ofal Inspector Llewelyn, a chael trafodaeth fanwl am yr holl achos ar y lawnt. Penderfynwyd trio olrhain y neges ffôn am bedwar o'r gloch, ac roedd Richard i geisio cadw'r herwgipwyr i siarad cyhyd â phosib. Roedd i ddweud fod Delyth yn barod i gasglu'r parsel ond ei bod am ragor o fanylion. Roedd i adael iddynt ddal i gredu mai Tristan oedd ganddynt. Fe gâi'r neges ei rhoi ar dâp er

mwyn ei hastudio'n ddiweddarach. Gwnaeth yr heddlu drefniadau manwl ynglŷn â'r tapio ac olrhain y neges, ac fe archwilion nhw'r babell yn ofalus am unrhyw gliw, ond heb gael dim.

Tua deng munud wedi pedwar canodd y ffôn. Mr O'Flynn atebodd ac estyn y ffôn i Richard.

'Ydy'r ddraig yn barod i'n helpu?' gofynnodd llais y pen arall.

'Rwy am wybod a yw Tristan yn ddiogel gynta,' meddai Richard. 'Gadewch i mi siarad ag e.'

'Dim ond gair neu ddau. Ac yn Saesneg yn unig. Y'ch chi'n deall? Tristan, dere 'ma.'

'Helô,' meddai llais ifanc.

'*Are you all right?*'

'*Y. . . y. . . yes, fine. Having tea soon. More dry br. . .*'

'Dyna ddigon,' meddai'r llais garw. 'Dyna chi wedi'i glywed e. Mae'n iawn am y tro. Ond am faint y bydd e'n iawn—mae'n dibynnu arnoch chi a'r ddraig yna. Ydy hi'n mynd i gasglu'r parsel?'

'Ydy, ond mae'n rhaid iddi gael rhagor o fanylion.'

'Mae hi wedi cael digon. Byddai'n well iddi gadw atyn nhw.' A thawelodd y ffôn gyda chlic.

Cododd Inspector Llewelyn y ffôn a deialu rhif. 'Unrhyw lwc? Lwyddoch chi i'w olrhain?'

gofynnodd, ac yna ysgwyd ei ben a rhoi'r ffôn i lawr.

'Galwad leol, fwy na thebyg,' meddai. 'O fewn rhyw ugain milltir efallai—ond doedd dim digon o amser iddyn nhw weithio arni. Fe wrandawn ni ar y tapiau unwaith neu ddwy rhag ofn y bydd hynny o help.'

Buont yn gwrando ar y tapiau sawl gwaith ond doedd dim un cliw i'w harwain at guddfan Llŷr, a thua chwech o'r gloch casglodd yr heddlu eu pethau at ei gilydd.

'Fe ddechreuwn ni wneud ymholiadau ar unwaith,' meddai'r Inspector. 'Holi pawb sydd wedi symud i fewn i'r ardal yn y flwyddyn ddiwethaf o fewn rhyw ugain milltir, ond rwy'n ofni y cymer tuag wythnos i wneud hynny a dim ond pedair awr ar hugain sydd gyda ni ar ôl. Rhaid i ni beidio â gwneud dim ynghylch y cychod nes cael gwybod ble mae Llŷr. Mae'n rhaid ei ddiogelu ef yn gyntaf. Dyma fy rhif ffôn. Os ffonian nhw eto neu os digwydd rhywbeth arall, gadewch imi wybod ar unwaith.'

'Wrth gwrs. A gobeithio'r nefoedd y byddwch chi'n llwyddiannus,' meddai Mr O'Flynn wrth ei hebrwng at y drws.

'Tristan,' meddai ei dad, 'cer i ddweud wrth Delyth beth sy wedi digwydd ac yna dere â phopeth y bydd ei eisiau arnat o'r babell. Bydd yn well i ti gysgu yn y tŷ heno eto.'

'Iawn, Dad,' atebodd yntau gan fynd allan at Delyth ar y lawnt i ailadrodd y sgwrs ar y ffôn air am air.

'Beth yn union ddywedodd Llŷr, eto?' gofynnodd hithau.

'Ar ôl "Helô" fe ddywedodd, "*Fine. Having tea soon. More dry br. . .*"—mwy na thebyg mai *dry bread* oedd e'n mynd i'w ddweud.'

'Dyna neges od! Byddwn i wedi disgwyl iddo weiddi 'Help!' neu rywbeth felly. Sut fachgen yw e mewn gwirionedd?'

'O, peniog iawn. Ydych chi'n meddwl ei fod yn trio dweud wrthon ni ble mae e? Falle ei fod e'n cael ei gadw mewn caffi?'

'Roedd e'n siarad Saesneg, on'd oedd e?'

'Oedd. Roedden nhw'n mynnu bod popeth yn cael ei ddweud yn Saesneg.'

'Rwy'n dechrau meddwl bod Llŷr wedi bod yn ddigon clyfar i ddefnyddio'r ddwy iaith gyda'i gilydd.'

'Y ddwy? Ond sut? *Fine*? *Having*? Nid geiriau Cymraeg yw'r rheina.'

'Nage, rwy'n gwybod, ond y tri nesaf sy'n bwysig—*tea, soon, more*. Beth am "Tŷ Sŵn Môr"? Rwy'n credu y dylen ni chwilio am dŷ o'r enw "Sŵn y Môr" neu rywbeth tebyg.'

'Ry'ch chi'n iawn, Ry'ch chi'n iawn, rwy'n siŵr eich bod chi'n iawn!' gwaeddodd Tristan gan redeg i'r tŷ. 'Dad! Mae Delyth wedi datrys y broblem.'

Ailadroddodd eiriau Llŷr a'i lais yn crynu i gyd. 'Mae'n rhaid i ni feddwl yn Gymraeg. Mae Delyth yn dweud y dylen ni chwilio am dŷ o'r enw "Sŵn y Môr".'

'Byddai hynny'n gwneud synnwyr,' cytunodd tad Llŷr. Ro'n i'n gwybod bod rhywbeth o'i le. Fyddai Llŷr ddim yn poeni am fwyd ar y fath adeg.'

'Mi ffonia i'r heddlu ar unwaith,' meddai Richard. 'Beth oedd y rhif ffôn, eto?'

Atebodd yr Inspector yn syth, gan ddweud mai ditectif ddylai Delyth fod. Addawodd chwilio'r ardal am bob tŷ ag enw tebyg, a threfnodd gyfarfod arall yng Nghwm Madyn ar gyfer bore trannoeth.

Er nad oedd pethau'n rhyw galonnog iawn yn y tŷ y noson honno, o leiaf roedd llygedyn o obaith. Anfonwyd Tristan i'r gwely'n gynnar ac aeth y lleill i glwydo'n fuan wedyn, gan wybod bod diwrnod hir a phrysur o'u blaenau, er na chysgodd neb ohonynt fawr ddim.

4.

Bore braf arall—awyr las a chymylau bychain gwynion, a'r gwenoliaid yn gwichial o dan y bondo. Wrth weld harddwch y cwm, roedd yn amhosib anobeithio'n llwyr. Roedd Delyth wedi cael tipyn bach mwy o wair nag arfer i fagu nerth ar gyfer ei gwaith yn nes ymlaen yn y dydd.

Tua chanol y bore daeth yr heddlu a chael cyfarfod â Delyth ar y lawnt. Roedden nhw wedi darganfod tŷ o'r enw 'Sŵn y Môr', sef hen arsyllfa Gwylwyr y Glannau tua milltir o'r Cei Newydd ar ben y graig, a heb fod ymhell iawn o lle'r oedd y cwch wedi'i angori. Roedd y tŷ wedi'i osod yn ddiweddar i ryw Harold Smith —arlunydd meddai rhai—ond ychydig iawn a wyddai neb amdano mewn gwirionedd. Rhedai'r unig ffordd at y tŷ drwy glos fferm, ond roedd tir gwastad agored o'i gwmpas fel nad oedd gobaith i neb fynd ato heb gael ei weld. Byddai'n rhaid iddynt ruthro ar y tŷ'n gyflym iawn fel yr S.A.S., gan obeithio y medrai Llŷr ddianc yn ddiogel. Yn union wedyn byddai gwŷr o gychod yr heddlu'n byrddio'r cwch pysgota, ac ar yr un pryd yn union byddai Heddlu Ffrainc yn ymosod ar y llong oedd ar arfordir Llydaw—ymgyrch unedig a fyddai'n chwalu'r criw o smyglwyr yn gyfan gwbl gobeithio. Roeddent am i Delyth gael ei gweld yn hedfan tua'r cyfandir, ond wedi iddi fynd o'r golwg roedd i droi'n ôl rhag ofn y byddai ei hangen. Roedd hi i weithio ar ei phen ei hun a gwneud beth bynnag fyddai orau i ddiogelu Llŷr. A dweud y gwir nid oedd yn gynllun cyfrwys iawn ond fedrai neb gynnig dim byd gwell. Byddai amseru'n hollbwysig. Rhuthro ar y tŷ am bum munud i wyth union a byrddio'r ddau gwch am wyth. Cyd-amserwyd pob wats ac aeth y polîs ymaith i wneud y trefniadau olaf. Ni fyddent yn dychwelyd tan y byddai'r cyfan drosodd.

Edrychodd Delyth ar fap o'r Sianel. Ar siwrnai bell medrai gadw cyflymder o bum deg milltir yr awr, felly byddai'n rhaid iddi gael ei gweld yn gadael oriau cyn wyth o'r gloch. Fe roddai hynny fwy o amser iddi feddwl am gynllun i achub Llŷr achos credai fod y cynllun i ruthro ar y tŷ yn ei roi mewn perygl mawr. Penderfynodd hedfan yn weddol agos i'r tŷ ar y graig ar ei ffordd allan i'r môr gan obeithio y gwelai ryw fan gwan yn yr amddiffyn.

Cododd i'r awyr am bedwar gan groesi traeth Cei Newydd. Anelodd tua'r de-orllewin a chadw tua chan metr allan i'r môr. Medrai weld yr arsyllfa'n blaen, a sylwodd ar unwaith na fedrai neb ddod ati o ochr y tir heb gael ei weld. Ehedodd ymlaen. Roedd y cwch wedi'i angori tua chwarter milltir i'r de-orllewin o Graig yr Adar, allan o olwg y tŷ. Ni chymerodd ddim sylw o'r dynion ar y cwch, er y gwyddai eu bod yn ei gwylio drwy eu gwydrau. Ehedodd ymlaen i'r un cyfeiriad nes roedd o'r golwg y tu draw i Ynys Lochtyn. Yna trodd i mewn i gyfeiriad y tir gan hedfan yn isel iawn, a dychwelyd i Gwm Madyn heb i neb ei gweld.

Gwaeddodd ar Tristan a rhedodd hwnnw allan ati.

'Os y'n ni'n mynd i achub Llŷr,' meddai, 'bydd yn rhaid gwneud hynny cyn iddyn nhw ruthro ar y tŷ, neu bydd y dynion yna'n ei ddal yn wystl a bydd ei fywyd mewn perygl.'

'Fedra i helpu?' holodd Tristan.

'Os wyt ti'n ddigon dewr. Nawr, mae'r heddlu'n mynd i ymosod o gyfeiriad y fferm. Cyn gynted ag y byddan nhw'n gadael y clos, bydd y dihirod yn eu gweld, a dyna'r adeg y bydd Llŷr mewn perygl. Rwy'n credu y medrai rhywun bach fel ti fynd at y lle o'r ochr arall—ochr y graig.'

'Ond, fedrwn i ddringo'r graig yn y fan honno?'

'Na, ond mae yna hen lwybr defaid am ran o'r ffordd, a rhai llwyni eithin i helpu. Bydd rhaid i mi gadw o'r golwg nes bod yr heddlu'n ymosod. Rwy'n llawer rhy fawr i guddio mewn llwyni eithin.'

Gwenodd Tristan wrtho'i hun wrth feddwl am Delyth yn ceisio cuddio rhwng y llwyni pigog.

'Os dôi di i ben â rhyddhau Llŷr rywfodd,' ychwanegodd, 'peidiwch â thrio dod ata i. Cuddiwch yn y llwyni nes ei bod yn ddiogel i chi symud—y ddau ohonoch.'

'Fe ro' i gynnig arni os ydych chi'n credu bod yna ryw siawns.'

'Dyna'r unig obaith. Does 'na fawr o amser. Gwisga ddillad trwm—jîns, am wn i, a gofyn i dy dad ddod yma.'

Cymerodd gryn amser i Delyth gael Richard i gytuno â'i chynllun, ond gwyddai hwnnw'n iawn sut y byddai ef ei hun yn teimlo petai Tristan yn nwylo'r smyglwyr a Llŷr yr unig un a fedrai'i helpu. Yn y diwedd rhoddodd ei ganiatâd. Wedi'r cyfan, Tristan oedd y carcharor i fod.

Cafodd Tristan rywbeth i'w fwyta ar frys, ac aeth ei dad ag ef i safle'r hen ffatri bysgod. Ond ar y funud ola wrth sylweddoli'r peryglon bu bron iddo newid ei feddwl. Ysgydwodd law Tristan yn ddwys iawn.

'Cymer ofal, 'machgen i. Cofia, nid chware mae'r dynion hyn.'

'Peidiwch â phoeni, Dad. Os aiff rhywbeth o'i le, bydd Delyth gerllaw.'

Doedd Richard ddim mor ffyddiog, ond ffarweliodd â'i fab a'i wylio'n dringo'r llethr serth i ben y clogwyn. Yna ymwrolodd a gyrru'n araf yn ôl i Gwm Madyn.

Roedd y rhan gyntaf o'r llwybr yn weddol hawdd i Tristan. Roedd yn amlwg fod rhyw blant wedi ei droedio'n ddiweddar, ond yn fuan diflannodd i'r drysi ac roedd Tristan yn falch iawn o'r jîns. Cydiai drain yn ei ddillad fel weier bigog a chyn pen dim roedd ei ddwylo'n gwaedu ac yntau'n chwys i gyd wrth drio'i ryddhau'i hunan. Prin y medrai symud o gwbl a chymerodd amser hir i ddod i olwg y tŷ dau gan metr i ffwrdd. Edrychodd ar ei wats, a synnodd weld ei bod yn hanner awr wedi saith. Roedd wedi cymeryd dros awr iddo ddod cyn belled â hyn, a'r ymosod i gychwyn ymhen pum munud ar hugain.

Gwelodd y byddai'n rhaid iddo adael y llwybr —roedd hwnnw'n mynd yn syth at yr arsyllfa. Petai'n cropian gydag ymyl y clogwyn, gallai lithro a chael ei ladd ar y creigiau islaw a fyddai hynny'n ddim help i Llŷr. Ar y tir garw i'r chwith iddo roedd y llwyni eithin y soniodd Delyth amdanynt, a phorfa hir. Penderfynodd mai hon oedd y ffordd orau, er ei bod yn anodd cropian mor bell ar ei fol.

Roedd wedi cyrraedd tua hanner y ffordd, o dan lwyn tew o eithin, pan benderfynodd gael cip ar y tŷ. Yn ofalus iawn cododd ar ei benliniau nes gweld yr arsyllfa'n union o'i flaen. Yn un pen i'r adeilad brics roedd to crwn uchel o wydr a medrai weld tri dyn yno a phob o bâr o wydrau ganddynt. Roedd un yn edrych allan i'r môr, yr ail yn gwylio'r fferm a'r trydydd fel pe bai'n edrych yn syth ato ef. Swatiodd i lawr ar unwaith ac aros am ysbaid, yna sbecian allan eto. Diolch byth, nid oedd y dyn wedi'i weld achos erbyn hynny roedd yn syllu ar y llwyni eithin ar y chwith. Ond mi fyddai'n anodd cyrraedd yr arsyllfa. Roedd yn

mynd i gymeryd amser, a doedd ganddo fawr i'w sbario. Ymhen chwarter awr byddai'r heddlu'n ymosod.

O'r diwedd symudodd y gwyliwr i ochr bellaf yr adeilad. Gwelodd Tristan ei gyfle a dechrau cropian ei ffordd at y tŷ eto. Doedd ganddo bellach ond ychydig lathenni i fynd. Roedd wedi cyrraedd y wal isel o gwmpas y cwrt concrit. A fedrai redeg yn groes heb gael ei weld?

Yn ara bach eto cododd ei ben, edrychodd at y tŷ a swatio i lawr wedyn ar unwaith. Roedd un o'r dynion yn edrych allan drwy'r gwydr yn union uwch ei ben. Deng munud i fynd.

Cymerodd gip arall. Roedd dyn arall yn dod i mewn i'r ystafell â hambwrdd a phedwar cwpan arni. Daeth y tri gwyliwr ato ac am eiliad roedd cefnau'r pedwar at y ffenest. Ar unwaith neidiodd Tristan dros y wal a rhedeg i gefn yr adeilad o'r golwg.

Roedd drws y gegin ar glo, ond roedd yna ffenest fach ar agor uwch ei ben, felly dringodd i'r silff. Prin y medrai estyn y glicied i agor y ffenest fawr. Roedd yn sownd, ond triodd wedyn ac fe agorodd y ffenest gyda sgrech ddigon uchel i ddeffro'r meirw. Swatiodd i lawr eto wrth i'r drws gyferbyn agor. Clywodd sŵn traed yn croesi'r ystafell a drws arall yn agor. Yna llais garw.

'Bydd ddistaw, grwt! Does neb i dy glywed di am filltiroedd, waeth i ti heb a gweiddi.'

Caewyd y drws a chlywodd Tristan y dyn yn croesi'r ystafell eto. Wedi aros am eiliad cododd ei ben, gweld bod y gegin yn wag, a gwthio'r ffenest ar agor a dringo i mewn yn dawel bach. Datglodd ac agor y drws allan rhag ofn y byddai arno eisiau dianc yn nes ymlaen, yna, mor ddistaw â llygoden agorodd y drws arall. Rhaid bod Llŷr yn y fan honno.

Agorodd llygaid Llŷr led y pen pan welodd Tristan yn y drws. Eisteddai ar y llawr a'i ddwylo a'i draed wedi'u clymu â rhaff a thâp wedi'i sticio dros ei geg. Gan arwyddo arno i fod yn hollol ddistaw, tynnodd Tristan y tâp i ffwrdd â phlwc sydyn a dechreuodd ar y rhaff ond roedd y clymau'n rhy dynn. Rhedodd yn ôl i'r gegin i nôl cyllell finiog a thorri'r rhaff yn ofalus rhag i Llŷr gael niwed.

Yr eiliad honno dyma chwibaniad uchel a sŵn ceir y tu allan. Clywent ddynion yn gweiddi yn y tŷ a gwyddai Tristan ei bod yn rhy hwyr iddynt geisio dianc drwy'r gegin. Ym mhen pellaf yr ystafell roedd cist enfawr.

'Dere, cuddia,' sibrydodd Tristan, gan hanner llusgo Llŷr ar hyd y llawr a chyrcydu y tu ôl i'r gist. Bron yn union uwch eu pennau gwaeddodd llais.

'Mae'r bachgen wedi dianc. Mae e wedi mynd.'

Sŵn ceir yn sgrialu brêcs y tu allan.

'Dacw nhw! Ar eu hôl nhw, bois!'

Clywodd y bechgyn weiddi a rhedeg a thanio gynnau, a sŵn byddarol hofrennydd yn nesáu, yna'n cilio i'r pellter.

'Tristan!' clywsant lais Delyth yn galw a rhedodd y ddau o'r tŷ.

'Brysiwch! I'r gist ar unwaith!'

Roedd Llŷr yn stiff iawn a gorfu i Tristan roi help llaw iddo. Cododd Delyth i'r awyr ar unwaith.

'Maen nhw wedi dianc mewn hofrennydd ac mae'n rhaid i ni'u dal nhw.'

'Dacw nhw, uwchben y cwch.'

Dechreuodd yr hofrennydd symud allan i'r

môr eto a medrent weld dyn yn dringo ysgol raff oedd yn hongian o dani. Cyflymodd Delyth, gan nesu atynt mewn dim amser. Roedd Tristan a Llŷr ar eu traed yn y gist yn hysio Delyth ymlaen pan glywsant dair ergyd arall, a theimlodd Tristan boen sydyn yn ei fraich. Disgynnodd y ddau ar lawr y gist.

'Wyt ti'n iawn?' gofynnodd Delyth, gan grynu yn ei thymer.

'Dim ond 'sgythrad fach,' atebodd Tristan.

'Y cachgwn—saethu at blant. Fe ddangosa i iddyn nhw.'

Roedd hi erbyn hyn yn ysgwyd i gyd ac yn graddol newid ei lliw. Roedd ei chen gwyrdd yn troi'n goch llachar, a'r lliw'n lledu nes bod hyd yn oed ei hadenydd a blaen ei chynffon yr un lliw ofnadwy. Gollyngodd ru arswydus a dyma belen o dân yn saethu o'i cheg a gorchuddio adenydd yr hofrennydd nes bod rheiny'n diflannu'n un fflam wynias. Dechreuodd yr hofrennydd syrthio fel carreg, a gwelsant bum dyn yn neidio ohoni cyn iddi blymio i'r môr.

'Eitha reit â nhw petaen nhw'n boddi,' meddai Delyth, a theimlodd y bechgyn y dymer ofnadwy'n dal i redeg drwy'i chorff.

'Wnân nhw ddim o hynny,' meddai Tristan. 'Mae cwch yr heddlu'n dod.'

Cylchodd Delyth o gwmpas yn yr awyr nes i'r pump gael eu tynnu o'r dŵr, yna hedfanodd yn

ôl i'r arsyllfa lle'r oedd yr Inspector yn barod i'w croesawu.

'Da iawn, Delyth a chithau fechgyn hefyd. Dyna beth oedd gwaith da.'

'Mae'r cwch wedi codi'r gang i gyd. Dy'n nhw ddim wedi cael niwed.'

'Diolch, Delyth. Wel, os yw'r Ffrancwyr wedi bod yn llwyddiannus fe fyddwn ni wedi cael y gang i gyd. Smyglo cocên roedden nhw. Mae gwerth tua hanner miliwn o bunnau yn yr adeilad yma.'

'Dim rhyfedd eu bod nhw mor barod â'u dryllau,' meddai Delyth. 'Ond nawr mae'n rhaid i mi fynd â'r bechgyn hyn yn ôl at eu rhieni. Mae Tristan wedi cael bwled yn ei fraich—na, dim byd difrifol—ond gorau i gyd po gyntaf y cyrhaeddan nhw adre.'

'Iawn. Fe ddo' i'ch gweld fory â'r newyddion i gyd.'

Saliwtiodd yr Inspector i'r plant a'r ddraig, ac â churiad araf i'w hadenydd cychwynnodd Delyth ar y daith fer i Gwm Madyn.

Cyn gynted ag y gwelodd eu rhieni'r plant yn chwifio arnynt o'r gist, aethant bron o'u cof o lawenydd. Rhuthrodd Mam at Tristan a'i gofleidio mor dynn nes ei fod bron yn methu anadlu a bu tad Llŷr bron â'i dagu. Aeth Richard i ddiolch i Delyth a oedd erbyn hynny bron â dychwelyd i'w lliw naturiol, a chafodd glywed stori'r antur fawr. Edrychodd Mam ar fraich Tristan a rhoi plastar ar y crafiad bychan arni, er nad oedd ei angen mewn gwirionedd. Awgrymodd Mr O'Flynn y dylai Llŷr, o leiaf, gael rhywbeth i'w fwyta os oedd wedi byw ar fara sych am ddau ddiwrnod, felly gadawyd Delyth i bori'r lawnt ac aeth pawb arall i fewn i'r wledd oedd wedi ei pharatoi ar gyfer y bechgyn. Cyw iâr, selsig, wy, ffa pôb a sglodion i ddechrau, a threiffl a hufen iâ i ganlyn a digon o lemonêd i olchi'r cyfan i lawr. Yna cawsant gacennau hufen cartre wedi'u gwneud gan fam Llŷr a phlatiaid o fefus i orffen. Roedd hyd yn oed Tristan yn cytuno eu bod wedi cael digon.

'Wel, Llŷr, beth am ddod adre gyda ni'n awr?'

'O, Mam, oes rhaid? Falle bydd rhywbeth arall cyffrous yn digwydd yma.'

'Dyna beth ydw i'n 'i ofni.'

'Peidiwch â phoeni, Mrs Thompson,' meddai Mr O'Flynn, 'Fe roddaf i Llwynog i warchod. Mae e'n swnio'n ddigon ffyrnig i godi arswyd ar unrhyw herwgipiwr.'

'Wel, os wyt ti'n mwynhau dy hun, 'te . . .'

'O, diolch, Mam. Ble'r awn ni fory, Tristan?'

'Gad i ni fynd i dynnu rhagor o luniau o'r awyr.'

'O'r gorau,' meddai ei dad, 'ond dim rhagor o luniau pysgotwyr cimwch, os gwelwch yn dda.'